BERLIN HEARTBEATS

STORIES FROM THE WILD YEARS 1990–PRESENT

HERAUSGEGEBEN VON PUBLISHED BY
ANKE FESEL & CHRIS KELLER
BOBSAIRPORT

FOTOS

PHOTOS

BEN DE BIEL →BdB

HARALD HAUSWALD →HH

UTE MAHLER →UM

HENDRIK RAUCH →HR

PHILIPP VON RECKLINGHAUSEN →PvR

SVEN MARQUARDT →SM

MARKUS WERNER →MW

ROLF ZÖLLNER →RZ

INHALT
CONTENT

VORWORT
PREFACE

Das Erste, was mir an Berlin auffiel, war der Geruch. Dort, wo ich wohnte, roch es, wenn man morgens aufwachte, anders als in Hamburg, es war der Geruch von Zweitaktmotoren und Kohleheizungen und anderen Dingen, die es im Westen nicht gab. Ich schaute aus dem Fenster in der Rykestraße auf Fassaden, die seit dem Krieg nicht mehr verputzt worden waren, es sah so aus, als sei der Krieg gerade vorbei. Man konnte damals Berlin am Geruch erkennen, wie man Paris an der Farbe der Nacht hatte erkennen können, als alle Autos dort noch tiefgelbe statt weißer Scheinwerfer hatten und die Stadt in ihrem Licht nachts wärmer und geheimnisvoller aussah.

Berlin war leer. Es war keine gefühlte und keine metaphorische und schon gar keine metaphysische Leere – es war leer, weil gerade ein ganzes System verschwunden war und Büros, Regierungssitze, Verwaltungstürme, den Todesstreifen und den ganzen Staatsapparat mitten in der Stadt verlassen hatte. Es gab für alles, was anderswo aus Kostengründen nach ein paar Monaten wieder einging – Ateliers, Bars, Galerien –, unendlich viel Raum. Deswegen kamen alle: wegen der plötzlichen Leere und Offenheit.

Ich war im August nach Berlin gezogen, an einem heißen Tag, an dem alles auf ein monumentales Gewitter hinauslief. Das Berlin, das ich als Erstes sah, bestand aus dreitausend glitzernden Bremslichtern und einem Blitz und schwarzen, absurden Wolkentürmen über den Neubauten, die mit eingezogenem Kopf Spalier standen. Da war etwas Giftiges in der Luft, im Radio sagten sie, dass die Temperaturen wieder steigen würden, obwohl sie gar nicht gefallen waren, und wir drehten am Radio und fanden einen türkischen Radiosender und einen russischen und einen französischen – schon im Radio schlugen einem gleich drei Welten entgegen, die alle Berlin hießen. Und dann fuhren wir in den Regen hinein und mitten durchs Brandenburger Tor, was damals noch ging, zum langsam verfallenden Palast der Republik an der Spree, wo die Geschichte Berlins einst begonnen hatte, und zwar mit einer Teilung: Hier in der Nähe, auf der Spreeinsel, hatte sich damals, um das Jahr 1200, eine vom Markgrafen gegründete Siedlung namens Cölln befunden, auf der brave Fischer und Handwerker lebten, und auf der gegenüberliegenden nördlichen Uferseite die Siedlung Berlin, wo ein paar feierwütige Kaufleute ihre Märkte

The first thing that struck me about Berlin was the smell. When you woke up in the morning the smell was different than in Hamburg; it was the smell of two-stroke engines and coal ovens and other things that didn't exist in the West. Through my window on Rykestraße I looked out onto façades that hadn't been replastered since the war. In fact, it looked as if the war had just ended. Back then, you could recognise Berlin by its smell, just like you could Paris by its night-time colour, back when all the cars still had deep-yellow instead of white headlights, that light that made the nights seem warmer, and more full of secrets.

Berlin was empty. But it wasn't an emptiness you could feel, nor was it metaphorical, and it certainly wasn't metaphysical – it was empty because an entire system had disappeared from the heart of the city, abandoning offices, government buildings, observation towers, the death strip, the whole state apparatus. There was suddenly an endless amount of space for anything – ateliers, bars, galleries – that anywhere else would just go under again after a few months because of the costs. And this is precisely why everyone came to Berlin: the sudden emptiness and openness.

I'd moved to Berlin on a hot August day that promised a monumental storm. My first glimpse of the city was made up of three thousand glimmering brake lights, a flash of lightning, and absurdly big black clouds towering over the rows of proud post-war buildings. There was something poisonous in the air; on the radio they were saying that the temperature would go up again, though it hadn't once gone down, and turning the dial we found a Turkish station and then a Russian one and then a French one – there on the radio you were already confronted with three different worlds, and all of them were called Berlin. And then we drove straight into the rain and on through the Brandenburg Gate, something you could still do back then, then past the slowly rotting Palast der Republik along the Spree where the history of Berlin originally began with, interestingly enough, a division: On an island in the Spree not too far from there, around the year 1200, there was a small settlement called Cölln which had been founded by a margrave, and populated by dutiful fishermen and craftsmen. On the other, north side of the river was the settlement of Berlin, where dedicated

und Häuser bauten. Zusammen kamen beide Hälften erst im »Berliner Unwillen«, einer legendären Revolte gegen den märkischen Landesherrn Friedrich II., der sich hier eine Burg – die Keimzelle des späteren Stadtschlosses – bauen wollte und deswegen Land in Beschlag nahm. Berliner und Cöllner fluteten gemeinsam im Frühjahr 1448 aus Protest die Baugrube – das vereinte Berlin beginnt sozusagen mit dem Protest gegen das Stadtschloss.

Fünfeinhalb Jahrhunderte später hatten die neuen Machthaber nichts Besseres zu tun, als genau dieses Schloss als Zeichen der Einheit und des Sieges über die Teilung Deutschlands und Berlins und auch als Zeichen des Siegs über den Sozialismus wieder aufzubauen, was nur eine der vielen historischen Seltsamkeiten dieser Stadt ist. Auch nach der Wiedervereinigung war Berlin geteilt, diesmal kulturell; man hatte bei der ganzen Debatte um den Abriss des modernistisch eleganten Palasts der Republik und den Bau einer Schloss-Replik sowieso immer den Eindruck, dass die Hälfte der Berliner, vor allem die Jungen im Osten, am liebsten im Jahr 1976 leben würden, weswegen sie den Palast stehenlassen wollten und sich mit Vintage-Möbeln aus alten DDR-Büros einrichteten und alte Ford Granadas und Schwalben fuhren, während die andere, ältere, damals an den Machtpositionen sitzende Hälfte der Berliner ganz offensichtlich lieber im Jahr 1876 leben und alles, was nach 1933 im Stadtzentrum passiert oder gebaut worden war, gern entfernt sehen wollte. Vor allem die DDR sollte, nachdem sie untergegangen war, auch optisch für immer hinter den neopreußischen Sandsteintapeten verschwinden, die der provinzielle Westgeschmack nach 1990 mit nach Berlin brachte. Spätere Generationen werden einmal der Modernität des Palasts der Republik nachtrauern.

Als ich nach Berlin kam, stand er noch und hatte sich in eine riesige Theaterbühne und ein Ausstellungshaus verwandelt. Nach den Eröffnungen dort fuhr man ins White Trash auf der Torstraße, wo im Hintergrund irgendeine Psychobillyband aus den Lautsprechern ratterte und ein paar echte Rocker auftauchten und die dünnen Menschen am Tresen wie eine Gardine wegschoben und sehr viel Bier bestellten. Im White Trash trafen wir Marie, die auch aus Hamburg kam und im Auto eine Massive-Attack-Kassette einlegte und auf der Leipziger Straße ihre Beine an der Kopfstütze vorbei aus dem offenen Fenster streckte, so dass der Regen und der Fahrtwind gegen ihre Füße peitschten. Sie hatte eine Flasche im Arm, die sie an der Bar mitgenommen hatte. Sie lebte seit ein paar Monaten hier und benahm sich so, wie wir uns Berlin vorgestellt hatten: Sie schlief, bis die Mittagshitze sie weckte und durch das offene Fenster eine trockene, stickige Hitze wie in der Luftschleuse eines Kaufhauses hineinkam.

Es war der heißeste August, Wochenende, allgemeine Mobilmachung, die Leute kamen mit Autos, Flugzeugen, Zügen in die Stadt, in die Bars, wo sie aufeinander

merchants were busy building their markets and houses. The two only came together for the first time during what's known as the »Berlin Indignation«, a legendary revolt against Elector Frederick II, who wanted to build a new palace – the nucleus of the future city palace – and had confiscated people's land to do so. And so, in early 1448, residents of both Berlin and Cölln joined forces to flood the construction site; so in a sense you could say that the unified Berlin began with a protest against the city palace.

Five and a half centuries later, those in power had nothing better to do than to rebuild that very palace as both a symbol of reunification and the victory over the division of Germany and Berlin, and as a symbol of the victory over socialism; this is just one of the city's numerous historical oddities. Even after reunification Berlin was divided, but this time around it was cultural. As far as the debate surrounding the demolition of the modern and elegant GDR-era Palast der Republik and the construction of a replica of the palace in its place was concerned, you always had the impression that one half of Berliners – especially younger people in the East – would have preferred to live in 1976, leaving the Palast der Republik alone while decorating their homes with vintage GDR office furniture and driving around in old Ford Granadas and »Schwalben«; while, the other half, those in power, quite openly would rather be living in 1876 and seen everything that happened or was built in the centre after 1933 removed. More than anything, after it had gone under, the GDR also needed to optically disappear behind curtains of neo-Prussian sandstone, which had been imported to Berlin post-1990 along with the West's provincial taste. Future generations no doubt will one day mourn the lost modernity of the Palast der Republik.

When I first came to Berlin, it was still there but had been transformed into a huge theatre and exhibition space. After openings, you'd drive over to White Trash on Torstraße, where in the background some psychobilly band or other would be rattling out of the speakers before a couple of real rockers would show up, push aside the skinny people standing around at the bar, and order a lot of beer. That's where we met Marie, who was also from Hamburg. Once sitting in the back in the car, she put on a Massive Attack tape and stuck her legs past the front-seat headrest out the window on Leipziger Straße so that the rain and wind would whip against her feet. In the crook of her arm was a bottle she had swiped from the bar. She'd been living in Berlin for a few months and was just like what we'd imagined Berlin would be: she'd sleep until the afternoon heat woke her up, and a dry, suffocating heat came in through the window like through the air lock of a department store.

It was the hottest August, weekends, general mobilisation, people streaming into the city in cars, planes, trains, into the bars where, one on top of the other,

ein- und in Telefone hineinschrien, die noch auszieh-
bare Antennen hatten. Hallo ihr, wo geht denn ihr jetzt
hin? – Wo ist das denn, Mann? – Lasst ihr mich bitte
mal durch da? Nee? Ich kenn aber den Boris. – Den
kennt jeder. – Den kennt nicht jeder. – Doch! – Nein. –
Hau ab, sonst fängst du dir eine!

Wir fuhren über die Friedrichstraße, deren Neubauten
wie leere Aktenordner in der warmen Nachtluft standen. Am alten Ballhaus hatte sich eine Schlange gebildet; vor der Toilette stand Marilyn Manson bleich
mit seinem grauen Auge und schaute nervös, ob ihn
jemand erkannte, aber die Menschen, die ihn sahen,
hielten ihn bloß für einen Verrückten, der aussehen
wollte wie Marilyn Manson.
Ein Mann tauchte auf. Sein schwarzes Haar stand in
alle Richtungen ab, er kratzte sich ständig und umarm-
te wahllos Menschen. »Das ist der schönste Moment
in meinem Leben«, sagte er, dann kreiste er um sich
selbst und breitete die Arme aus. Ein Tross, der sich von
den Toiletten auf die Tanzfläche wälzte, riss ihn um,
jemand stellte ihn wieder hin. »Gib mir ein bisschen
Geld«, sagte der Mann und küsste ihn aufs Ohr.
Marilyn Manson starrte verärgert auf eine johlende
Figur, die mit einem vollen Wasserglas in der Luft
herumwirbelte und einen kalten Regen auf die Warten-
den fallen ließ.
Vom Tresen her drang ein lautes, kreischendes Lachen,
ein Trupp machte eine Expedition in die Herrentoi-
lette, jemand rief: »Weg da, du Penner.« Eine verkno-
tete Menge von Köpfen, Beinen und Armen drängte
mit hinein in die schon übervolle Kabine. Etwas später
hörte man ein würgendes Geräusch, dann Protest-
schreie und Gepolter, dann flog die Tür auf, und eine
aufgelöste Gruppe von Gestalten schälte sich in den
Gang. Hinter ihnen schob ein Mann mit wehenden
Locken eine Frau mit einer blonden Turmfrisur durch
den Raum, die laut quiekte; es war Frédéric Beigbeder,
ein französischer Schriftsteller, der in den Galeries
Lafayette auflegen sollte.
Marie wollte noch irgendwohin, wo Techno gespielt wurde, sie liebte das Riesenhafte, Schwitzende, Oberkör-
perfreie, Naturgewaltenhafte, die Vibrationen. Sie
schrie uns eine Theorie des Techno entgegen, dass nämlich Techno mit seiner schieren Größe und seinem Laut-
stärkepegel die Leute aus der muffigen Loungegemüt-
lichkeit, aus ihrer kopfsteingepflasterten Enge heraus-
reiße und in eine größere Welt hineinkatapultiere, so sei
das; und danach zerfiel das, was sie sagte, unter den
lauter werdenden Bässen, und man sah nur noch ihren
Mund, der ins Donnern lautlose Theorien hineinsprach.

Wir fuhren herum, bis es hell wurde. Wir sahen, wie im
Mauerpark der Tau im Gras hing, wie auf der Kastanienallee ein paar Übriggebliebene der Nacht durch
den Morgen stolperten, jemand übergab sich vor
dem geschlossenen Prater, ein paar blasse Mädchen
standen vor der Dönerbude, eine gelbe Straßenbahn
quietschte in die Kurve und verschwand in Richtung
Schönhauser Allee.

they'd yell into their phones (which at the time still had
extendable antennas). Hey there, where are you all
going? – Where's that then, man? – Will you please let
me in? No? But I know Boris. – Everyone knows him. –
Not everyone. – They do so! – No. – Get out of here, or
else you're going to get one!

We drove down Friedrichstraße, post-war buildings
like empty file folders in the warm night air. A line had
formed outside the old ballroom; a pale Marilyn
Manson with his grey eye was standing out in front of
the bathroom, looking around nervously to see if
anyone recognised him, but everybody who saw him
just took him to be some crazy person who wanted
to look like Marilyn Manson.
A man showed up. Black hair shooting out in all direc-
tions, he scratched himself continuously and hugged
anyone who'd walk by. »This is the most beautiful
moment of my entire life,« he said, before beginning
to spin around in circles and stretching out his arms.
Some guy waltzing out of the toilets onto the dance
floor tore him down, someone else stood him back
up. »Give me some money,« he said, kissing the other
man on the ear.
Marilyn Manson stood there looking angrily at a man
who was cackling and twirling around in the air with a
full glass of water, showering those waiting below with
a cold rain.
From the bar came a loud screech of laughter, a group
of people took off on an expedition to the men's bathroom, and someone yelled: »Get out of the way, you
bum.« A knotted mass of heads, legs, and arms pushed
its way into the already overflowing stall. A bit later
there was a gagging sound, followed by cries of protest and a banging, then the door blew open, and the
crowd of faces dissolved into the hallway. Behind them
a man with flowing curls came by pushing a loudly
squealing woman with a blond beehive through the
room; it was Frédéric Beigbeder, a French novelist who
was supposed to do a DJ set at the Galeries Lafayette.
Marie wanted to go somewhere they played techno;
she loved the colossal, the sweaty, the bare-chested,
the tempestuous, the vibrations. She was screaming
to us about a theory of techno: namely that techno,
due to its sheer size and volume, ripped people out of
their stale lounge-bar cosiness, out of their cobble-
stoned closed-mindedness, and catapulted them into
a bigger world, that's how it was. After that, whatever
she had to say disintegrated under the growing throbs
of bass until you could only see her mouth speaking
silent theories into the thunder.

We drove around until it grew light. We saw how the dew
hung on the grass in the Mauerpark; a few partiers left
over from the night before stumbling down Kastanienallee and on into the morning; someone vomiting in
front of the shuttered Prater beer garden; a couple of
pale girls standing out in front of a Döner stand; a
yellow tram creaking through a curve and disappear-
ing in the direction of Schönhauser Allee.

Dann fuhren wir in den Westen, nach Charlottenburg, und weil Marie ein Bier trinken wollte, gingen wir ins Schwarze Café, wo um diese Uhrzeit nur noch ein betrunkener Schauspieler saß, der angeblich einmal mit Fassbinder gedreht hatte und den frühen Morgen damit verbrachte, seine alte Rolle aufzusagen. An einer Ecke schimmerte die Leuchtschrift eines alten französischen Lokals, vom Schriftzug »Reste fidèle« war nur das Wort »Reste« erleuchtet – es sah aus wie eine Warnung.

Schon damals hatte sich Charlottenburg verändert. Es war nicht mehr das Viertel der in dezentem Wohlstand alternden bundesrepublikanischen Mittelstandsgesellschaft. Jetzt waren die Russen da. Sie saßen breitschultrig im Adnan's oder bei den Italienern in der Schlüterstraße, und die war das genaue Gegenteil der Mitte-Welt: Während die Mitte-Leute mit fünfzig noch in spätstudentischen Outfits herumliefen und an sogenannten Projekten herumbastelten und so taten, als seien sie siebenundzwanzig, versuchten die allesamt nach 1980 geborenen jungen Russen und Libanesen und Türken, die sich hier, am anderen Ende der Innenstadt, am Kurfürstendamm versammelten, so gravitätisch und erwachsen zu schauen wie Robert de Niro in *The Untouchables*.

Wir trafen Selçuk, der in seinem tiefergelegten Mercedes CL 500 vor dem Café Einstein saß. Er wartete auf eine Frau, die er im »Diwan« kennengelernt hatte. Sie arbeitete in einer Kanzlei am Kurfürstendamm, deswegen war er hier, um sie abzuholen. Im Autoradio lief Metropol FM, ein Lied, das er kannte, er sang den Text mit: »Kirilma, / Yapma kalbim, Darilma ... Nedeni var herseyin / Suçlu, sorumlu arama«, und dann ging schon wieder ein großer Regenbruch auf die Stadt herunter, und der Kurfürstendamm sah so aus wie auf dem Gemälde, das Adolf Müller-Cassel 1910 vom Romanischen Café gemalt hatte, wo der Himmel über dem Kurfürstendamm schwefelgelb vom Licht der Stadt ist und nicht schwarz und sich das Licht im nassen Straßenpflaster spiegelt hinter all den Menschen, die in das Café drängen. Egon Erwin Kisch hatte einen Stammtisch dort, Sylvia von Harden und Kurt Tucholsky waren da gewesen, Mascha Kaléko hatte hier einige ihrer schönsten Gedichte geschrieben (»Halbeins. So spät! / Die Gäste sind zu zählen / Ich packe meinen Optimismus ein / In dieser Stadt mit vier Millionen Seelen / Scheint eine Seele ziemlich rar zu sein«).

Dieses Berlin der 20er Jahre, das auf alten Fotos als funkelndes Dickicht aus Kaffeehäusern, Neonreklamen, Ampeln, Trambahnen, Fuhrwerken, Pelzmänteln, Autos, Hüten, Elektrizität, Hektik, Liebe und Zigarrenqualm erscheint, war das Ergebnis einer irrwitzigen Kompression. 1877 war Berlin Millionenstadt geworden, bis 1905 verdoppelte sich die Einwohnerzahl, 1920 war man bei vier Millionen Einwohnern; Berlin war damals nach London und New York die drittgrößte Stadt der Welt. Emigranten strömten in die Stadt und überfüllten sie,

Then we drove over to the West, to Charlottenburg, and because Marie wanted to drink a beer we went to the Schwarzes Café, where at that moment the only person left was a drunk actor who'd supposedly worked with Fassbinder once and was spending the early morning reciting his old part. On a corner, there was the glimmer of an old French bar's neon sign, of its slogan, »Reste fidèle«, only »Reste« still lit up – it looked like a warning.

By that time Charlottenburg had already changed. It was no longer the district of the West German middle classes aging in comfort. The Russians were there now. Sitting square-shouldered together at Adnan's or in one of the Italian restaurants on Schlüterstraße, it was the polar opposite of the world in Mitte. While over there people at fifty still were walking around in clothes that wouldn't be out of place on older university students, tinkering on so-called »projects«, and acting like they were twenty seven, all of the young Russian, Lebanese, and Turkish people – every single one of them born after 1980 – who were gathering here, at the other end of the city centre, on Kurfürstendamm tried to look as solemn and grown up as Robert de Niro in *The Untouchables*.

And this is where we met Selçuk as he sat in his low-riding Mercedes CL 500 out in front of Café Einstein. He was waiting for a woman he'd met at Diwan. She worked in an office on Kurfürstendamm, and he was there to pick her up. He had his radio tuned to Metropol FM, and was singing along with a song he knew: »Kirilma, / Yapma kalbim, Darilma ... Nedeni var herseyin / Suçlu, sorumlu arama«. Then, once more, there was a huge cloudburst over the city, and the Kurfürstendamm looked just like it did in Adolf Müller-Cassel's 1910 painting of the Romanisches Café, the sky above Kurfürstendamm not black but a sulphuric yellow from the city lights, the light on the wet pavement reflecting all the people elbowing their way into the café. Egon Erwin Kisch was a regular, Sylvia von Harden and Kurt Tucholsky used to visit now and again, and Mascha Kaléko wrote some of her most beautiful poems there (»Half past one. So late! / Time to count the guests / I am packing my optimism / In this city of four million souls / A soul seems scarce indeed.«).

This 1920s Berlin that appears to us in old photographs as a sparkling jungle of coffee houses, neon signs, street lights, tramlines, carriages, fur coats, cars, hats, electricity, traffic, love, and cigarette smoke was the result of a compression gone mad. In 1877 Berlin became a city of over one million inhabitants, by 1905 this had doubled, and by 1920 it had four million; at that time, Berlin was the third-largest city in the world after London and New York. Immigrants streamed into the city until it was overflowing, and this overflow was precisely what made it so special. Three times more people lived on Friedrichstraße than had originally been planned. In the 1920s it was this overflow of

und diese Überfülle war ihr Reichtum: In der Friedrich-straße wohnten dreimal so viele Menschen, wie eigent-lich geplant gewesen war. In den 20er Jahren war es diese Überfülle, die die Stadt zu etwas Einzigartigem und zu einer Chance machte – und in den 90er Jahren die plötzliche Leere.

Es heißt immer, diese Tage der Leere, die Offenheit, die Nächte, das Improvisierte, Nomadische, alles sei weg; und natürlich ist das ein Unsinn. Vielleicht stimmt es für die, die älter geworden und in den Vororten mit Ein-familienhaus und Großraumlimousine gelandet sind. Vielleicht stimmt es für die zu Tode sanierten, verkehrs-beruhigten Einbahnstraßen von Mitte, wo mit der Gen-trifizierung auch eine deprimierende Provinzialisierung stattgefunden hat: Die Häuser sind überrenoviert, die Mieten so hoch, dass selbst der Mittelstand sie sich kaum noch leisten kann, das Verhältnis von Obstläden zu Art Spaces und Cafés im bei Großstädtern so belieb-ten, handgezimmerten Ruralo-Look ist gefühlt eins zu zwanzig, und die Bevölkerung ist so homogen wie sonst kaum irgendwo in Berlin: Hier wohnt ausschließlich weißer, besserverdienender Mittelstand, keine Flücht-linge – wer hier einen Migrationshintergrund hat, kommt aus den bürgerlichen Vierteln von Brooklyn, London oder Paris.

Aber die Stadt hält dagegen. Das Leben, von dem die Bilder in diesem Buch erzählen, ist aus dem Zentrum weitergezogen nach Wedding und Neukölln und noch weiter, teilweise sogar zurück in den alten Westen. Aber es ist noch da. Und solange die Stadt nicht ihre Einwohnerzahl vervierfacht und die Mietpreise auf New Yorker Niveau treibt, bleibt sie trotz einiger tot-polierter Stellen zerfasert und leer und löchrig wie ein altes Riff, in dessen Höhlen und rauen Oberflächen sich alles und jeder einnisten kann.

Die Fotografien in diesem Buch stammen aus einer Zeit, die schon ein paar Jahre her ist, trotzdem wirken sie alle seltsam aktuell. Vielleicht sehen die Polizeiunifor-men heute anders aus, und es gibt weniger Schnurr-bärte und weniger Ladas auf den Straßen. Aber diese Bilder erzählen nicht von einer abgeschlossenen his-torischen Epoche, sondern von der erhöhten Grund-temperatur, die die Stadt und ihre Bewohner heute noch haben und auch in Zukunft haben werden. Des-wegen sind sie auch kein melancholischer Rückblick auf die verlorengegangene Tiefe und Wildheit und Offenheit der Wendejahre, sondern eine Zustandsbe-schreibung und ein Versprechen für die Zukunft – eine Erinnerung daran, was sein wird.

people that made the city special, presenting its greatest opportunity – in the 1990s it was the sudden emptiness.

Again and again you hear that those days of empti-ness, that openness, the nights, the improvised, the nomadic, are all gone, but that's obviously nonsense. Maybe it's true for those who got older and landed in a suburban single-family home with a minivan. Maybe it's true for the sanitized-to-death, traffic-less streets of Mitte where, along with gentrification, there has been a terribly depressing provincialisation process: buildings are overly renovated, rents so high that even the middle-class can barely afford them, the ratio of greengrocers to art spaces and cafés in that hand-made »rural« look so beloved by city dwellers is one to twenty, and the population more homogenous than almost anywhere else in Berlin. Those who live there now are almost exclusively white, wealthy, and upper middle class, and there are no refugees whatsoever to speak of – here, having a so-called migration back-ground means you come from a bourgeois neighbour-hood in Brooklyn, London, or Paris.

But Berlin continues to resist. The life that the pictures in this book depict has moved from the centre city to Wedding and Neukölln and even further afield, in some instances even to the old West. But it's still there. And as long as the number of people living in the city doesn't quadruple, driving rents to a New York level, it will – despite a few squeakily clean parts – remain as scattered and empty and full of holes as an old reef in whose hollows and rough surfaces everything and everyone can find a nest.

Though it's been a few years since the photographs in this book were taken, they somehow still seem strangely current. Maybe the police uniforms look a bit different now, and there are fewer moustaches and Ladas on the streets. Yet these photos don't tell the story of a distant historical epoch, but of the feverish energy still coursing through the city and its inhabitants as much today as it will in the future. And that's why these images do not present a melan-choly look back at the lost depth and wildness and openness of the years after reunification, but an account of an era and a promise for the future – a memory and reminder of what will be.

JUDITH HERMANN

Das Andere betreten
Stepping into the Other

Ich bin 1970 in Berlin-Neukölln geboren worden und in einer Altbaugegend aufgewachsen, nur wenige Minuten vom historischen Kern Alt-Rixdorfs entfernt. In meiner Erinnerung gab es nur wenige Autos auf der Straße, die Häuser waren alle gleich, große Mietskasernen die ganze Stuttgarter Straße hinunter, die auf den Hertzbergplatz zulief. Am Hertzbergplatz war die Grundschule, den kurzen Weg dorthin ging man alleine und zu Fuß.

Ich erinnere mich an die sehr belebten Höfe, an Lumpensammler, Scherenschleifer und Akkordeonspieler. An Blinde mit Leierkästen und angeketteten Äffchen, Kriegsversehrte, denen wir aus dem Küchenfenster in Zeitungspapier verpackte Groschen zuwerfen durften. Es gab eine große Kastanie auf dem Hinterhof, eine Waschküche auf dem Dachboden und viele alte Frauen, die an den offenen Fenstern saßen und am Leben auf der Straße Anteil nahmen, von morgens bis abends, die Arme auf dicke Kissen gestützt. Wir hatten eine 4-Zimmer-Wohnung, in der wir zu fünft wohnten, mit zwei Balkonen und zwei Kammern und einem Bad mit Badewanne, was relativ ungewöhnlich war. Kachelöfen in jedem Zimmer, eine Küchenhexe in der Küche, Keller voller Kohlen, geheizt wurde von November bis Ende März.

Anfang der 70er, aber wenn ich diese Erinnerungsbilder betrachte, denke ich, das hätte auch 1960 sein können, oder sogar noch früher; als ich später den Satz hörte, dass Neukölln der Osten vom Westen gewesen sei, hat es mich nicht gewundert, dass ich nach dem Fall der Mauer in den Prenzlauer Berg gegangen bin – letztlich war das, glaube ich, einfach sehr vertraut. Wir waren viel draußen, haben auf stillgelegten Bahngeländen, in Schrebergärten und in den Höfen gespielt. Vier bis fünf Querstraßen weiter gab es den Kanal, dann die Elsenstraße, dann kam die Mauer, und dahinter begann Ostberlin. Im Westberliner Teil, auf den Sandwegen entlang des Kanals, gab es Hochstände, wie für Jäger. An Sonntagen habe ich als Kind mit meiner Großmutter am Kanal die Schwäne gefüttert, und anschließend sind wir auf den Hochstand gestiegen und haben rübergeguckt nach Ostberlin.

I was born in Neukölln in 1970 and grew up in an area of turn-of-the-century houses just a few minutes away from the historical centre of old Rixdorf. In my memory there weren't too many cars on the street, all the buildings were the same size, big tenement buildings all the way down Stuttgarter Straße, which ran into Hertzbergplatz. And that's where my primary school was, the short path there taken on foot and alone.

I remember bustling courtyards, ragmen, knife grinders, and accordion players. The blind with their barrel organs and little chained monkeys. Disabled veterans who we were allowed to throw change wrapped up in newspaper from out of the kitchen window. There was a giant chestnut tree in the inner courtyard, a laundry room in the attic, and a lot of old women who'd sit at the open windows and take part in the life on the street, from morning to night, arms propped up on thick pillows. There were five of us in a four-room flat, it had two balconies and two storage rooms and a bathroom with a tub, which was actually pretty unusual. A tiled stove in every room, a wood-burning stove in the kitchen, a cellar full of coal; we'd heat from November through the end of March.

It was the start of the '70s, though when I look at these pictures in my memory I think it could've easily been 1960 or even earlier; when I later heard people say how Neukölln was the east of the west, it came as no surprise that I'd moved to Prenzlauer Berg—in the end, I think, it was just really familiar.

We were outside a lot, playing in the abandoned railway lots, allotment gardens, and courtyards. The canal was just four or five streets away, then Elsenstraße, then the Wall, and, behind it, East Berlin. On the West Berlin side and on the sand paths along the canal there were little towers, like the ones hunters use. On Sundays I used to go feed the swans in the canal with my grandmother, and then we'd climb up into the towers and look out at East Berlin. The eerie thing was that there were never any people about. Like a painting by de Chirico: static buildings, empty streets, nothing alive at all. I understood that people did in fact live there, but I couldn't see them; I couldn't wave to

Judith & Peter, 1994

Das Gespenstische war, dass man auf den Straßen, in die man von dort oben blicken konnte, keine Menschen sah. Wie ein Bild von de Chirico, statische Gebäude, leere Straßen, nichts Belebtes. Ich hatte verstanden, dass da Leute lebten, aber ich sah sie nicht, ich konnte niemandem zuwinken, und niemand winkte zurück. Die Mauer, die durch die Stadt lief, war für mich als Kind völlig normal, in diese Situation war ich hineingeboren worden, diese Mauer gehörte zur Stadt.

Meine Großmutter hatte früher ein Grundstück in Kleinmachnow besessen, das war enteignet worden und nun Mauergrundstück, und dafür bekam sie eine finanzielle Entschädigung in Form einer vierteljährlichen Auszahlung. Das Geld wurde von einer Bank in Ostberlin ausgezahlt und musste auch in Ostberlin ausgegeben werden. Also gingen wir alle Vierteljahre zusammen an der Friedrichstraße über die Grenze, holten das Geld ab, aßen zum Mittag in der Kantine vom Roten Rathaus, kauften ziemlich viele Bücher, Noten und Papier und gingen zum Schluss am Abend ins Deutsche Theater. Einerseits war das seltsam und andererseits war es völlig normal.

Meine Großmutter war als Kind nach Berlin gekommen und hat dann fast ihr ganzes Leben hier verbracht. Wie es für sie gewesen sein mag, in der geteilten Stadt zu leben, am Tränenpalast über die Grenze zu gehen, habe ich sie nicht mehr fragen können, als Kind ist es mir nicht in den Sinn gekommen. Sie hat das vielleicht mit mir an der Hand besser ausgehalten als allein. Sie hat mich gerne mitgenommen, ich bin gerne mitgefahren.

anyone and no one waved back. That wall running through the city, as a child it was completely normal to me; I'd been born into that situation, it simply belonged to the city.

My grandmother had owned a piece of land in Kleinmachnow that was expropriated for the Wall, so she received financial compensation in the form of a quarterly payment. The money was issued by a bank in East Berlin and also had to be picked up in East Berlin. And so four times a year we'd get together and go cross the border at Friedrichstraße, collect the money, eat lunch in the canteen at the Rotes Rathaus, buy a fair amount of books, sheet music, and paper, and then go to the Deutsche Theater in the evening. On the one hand, this was a bit odd and yet, on the other, completely normal.

My grandmother had come to Berlin as a child and ended up spending almost her entire life here. I never was able to ask her what it was like for her to live in the divided city, to cross the border at the Tränenpalast (literally the Palace of Tears); as a child it never occurred to me. Perhaps it was easier for her when she was holding my hand than when she was alone. She took me gladly, and I gladly went.

The Wall came down at the same time my grandmother died, and the latter was of much more importance to me. It wasn't until the middle of November that I drove over to the Brandenburg Gate. For a long time I stood on the West Berlin side, looking out onto what was happening with a great degree of distance as well as

Der Fall der Mauer fiel zeitlich mit dem Tod meiner Großmutter zusammen, und dieser hat mich deutlich mehr beschäftigt. Ich bin erst Mitte November zum Brandenburger Tor gefahren, ich habe eine ganze Weile auf der Westberliner Seite gestanden und mit großer Distanz und auch ratlos auf das geschaut, was sich da abspielte. Das Aufbrechen der Grenze, das Abtragen der Mauer, die Leute, wie sie rüber- und zurückgingen, wie sie das ausprobierten; ich konnte daran nicht teilhaben, und ich wollte daran auch nicht teilhaben.

Ich kann mich erinnern, dass Ingo Schulze einmal bei einem politischen Gespräch über Literatur nach dem Fall der Mauer sehr emotional gesagt hat, die DDR sei nach 89 einfach von der Landkarte verschwunden, eine Auslöschung, und wie absolut schrecklich das für ihn gewesen sei. Und ich habe später gedacht, ja, das war aber mit Westberlin ganz genauso. Mein Westberlin ist auch von der Landkarte gelöscht worden, auch das gab es nicht mehr.

Und natürlich hat es dann dennoch eine Annäherung an dieses veränderte Berlin gegeben. Als ich 1990 noch in Kreuzberg wohnte, bin ich zum Kellnern in die Husemannstraße gefahren, ich musste Stadtmitte die U-Bahn-Linie wechseln und dafür einen ziemlich langen Tunnel entlanggehen, der die beiden U-Bahn-Strecken miteinander verband. Der Tunnel war dunkel, feucht und marode und war in dieses spezielle grünliche Licht getaucht, das ich sehr mit Ostberlin verbinde. An den Wänden hatten Künstler die Namen der Weltstädte in Lautschrift angebracht, so dass man durch den Tunnel ging und der Klang dieser Namen mitschwang – Lissabon, Barcelona, Paris, Tokio –, und am Ende des Tunnels fuhr eine andere U-Bahn, empfing mich der Geruch einer anderen Stadt, stieg ich in einem sprachlich wohl gleichen, aber ansonsten vollkommen anderen Berlin wieder aus. Ich habe das sehr genossen – das Gefühl von zwei Identitäten, zwei Leben in einem.

Ungefähr zwei Jahre nach dem Fall der Mauer habe ich mich entschlossen, nach Ostberlin zu ziehen. Vielleicht dachte ich, wenn ich das eine nicht mehr haben kann, dann will ich doch wissen, wie das andere ist? Dann versuche ich doch, dieses andere zu betreten, mich darauf einzulassen.

Ich hatte in Westberlin einige enge, aber grundverschiedene Freunde, man traf jeden nur einzeln, es war schwer, die Leute zusammenzubringen. In Ostberlin hatte ich eine Liebesgeschichte, die mich in einen großen Freundeskreis hineingeführt hat, in dem für mich ein Assimilationsprozess stattgefunden hat, der sehr schön war. Es gab eine Wohnung in der Danziger Straße, deren Tür nicht einmal ein Schloss hatte, die Leute kamen und gingen, viele kannten sich seit ihrer Kindheit, sie kamen aus Brandenburg, Frankfurt-Oder und aus Ostberlin. Sie teilten ihre Biografien und waren auf eine für mich extrem anziehende Weise familiär miteinander, man war in einer großen Gruppe ständig zusammen, wirklich ununterbrochen, von morgens bis

bewilderment. The opening up of the border, the tearing away of the Wall, the way people kept going over and coming back, the way they were testing it all out; I couldn't be a part of it and I didn't want to be a part of it either.

I remember how, in a political discussion about literature after the fall of the Wall, Ingo Schulze got very emotional when he said how after '89 the GDR had simply disappeared from the map, obliterated, and how absolutely awful that had been for him. And later I thought: Yeah, but that's exactly how it was with West Berlin as well. My West Berlin was obliterated from the map too, it's also gone.

Naturally, however, later there was a rapprochement between these two different Berlins. When I still lived in Kreuzberg in 1990, going to my job waiting tables on Husemannstraße, I had to change U-Bahn trains at Stadtmitte and then make my way through a rather long tunnel that connected the two lines to each other. The tunnel was dark, damp, and dilapidated and was bathed in that special greenish light I really associate with East Berlin. Artists had written the names of different cities across the walls phonetically, so that as you made your way through the tunnel the sound of those names went with you – Lisbon, Barcelona, Paris, Tokyo – and at the end of the tunnel there was another U-Bahn, the smell of a different city. I'd got off, linguistically speaking, in the exact same Berlin but somehow it was a completely different city. I liked that a lot – the feeling of two identities, two lives in one.

About two years after the fall of the Wall, I decided to move to East Berlin. I thought, if I can't have the one anymore, maybe I should get to know the other? Why not try to set foot in it, establish some kind of relationship with it.

In West Berlin, I'd had some close friends, but they were fundamentally different; you could only meet them individually, it was difficult to get people together. In East Berlin, I had a love affair that brought me into contact with a large circle of friends where I underwent a kind of process of assimilation, which was really beautiful. There was a flat on Danziger Straße that didn't even have a lock, people would just come and go; a lot of them had known each other since childhood, they came from Brandenburg, Frankfurt an der Oder, and East Berlin. They shared similar backgrounds and were, for me, close with each other in an extremely attractive way; you were always in a big group of people, really all the time, from morning until late at night. You communicated without a telephone, there weren't any telephones in East Berlin at the time, and maybe that helped to create a different sense of closeness. You had to visit one another, and people did so spontaneously and unannounced; sometimes you'd be woken up in the morning by someone coming into the flat, making some tea, and sitting down on the edge of your bed. It was a loose, warm, almost affectionate way of being together, and after my own

spät in die Nacht hinein. Die Kommunikation funktionierte ohne Telefon, es gab keine Telefone in Ostberlin, vielleicht hat das auch noch einmal eine andere Nähe hergestellt, man musste sich besuchen, und das tat man unangekündigt und spontan; manchmal wachte man am Morgen davon auf, dass irgendjemand in die Wohnung kam, Tee kochte, sich mit dem Tee auf die Bettkante setzte. Es war ein provisorisches, warmes, fast zärtliches Miteinander, und nach meiner eher einzelgängerischen Kindheit und Jugend hatte das für mich etwas Paradiesisches. Wenn mich jemand gefragt hat, woher ich komme, habe ich gesagt: »aus Berlin«, und es wurde nicht weiter nachgefragt, ob aus West- oder Ostberlin; die meisten waren erstaunt, wenn sie erfuhren, dass ich aus Westberlin kam, man hat mir das offenbar nicht angemerkt, und ich wollte wahrscheinlich auch nicht, dass man mir das anmerkt.

Es ist für mich mit diesem Freundeskreis eine glückliche Zeit gewesen, und es gibt ihn bis heute, auch wenn sich im Verlauf der Jahre die Stadt um uns herum, die Lebensbedingungen so verändert haben. Irgendwann bekam auch der Letzte ein Telefon, und die Papierrollen, auf denen man sich Nachrichten hinterlassen hatte, verschwanden von den Türen. Die besetzten Wohnungen wurden legalisiert. Das Offene, Provisorische, Illegale, Freie – das löste sich irgendwann auf. Wir mussten zur Vernunft, zu einer Art von Besinnung kommen, letztendlich war es die Struktur der Stadt, die das eingefordert hat. Wir brauchten Mietverträge, wir brauchten überhaupt Verträge, Kautionen und Versicherungen, wir mussten uns einlassen auf das Prozedere – im Grunde mussten wir uns einlassen aufs Erwachsensein.

Aber bis dahin haben wir diesen Möglichkeitsraum, der sich uns damals geboten hat, wahrgenommen, und wir haben ihn geschätzt. Diese Wohnungen, Zimmer, Dachböden und illegalen Orte, die wir uns genommen haben, die haben wir geliebt. Es war nicht so, dass wir sie okkupiert und in Besitz genommen, da ein bisschen gelebt hätten und dann weitergezogen wären, es war ernster – es waren romantische Orte. Orte mit Blicken und Ausblicken, die wichtig waren, es hatte ganz viel mit Liebe zu tun, mit der poetischen Vorstellung von einer Stadt, die dir gehört. Regeln, die außer Kraft gesetzt waren – wir konnten in jeder Hinsicht immerzu Türen aufmachen, die Räume dahinter betreten und sie uns aneignen, für eine Woche oder zwei, zum Filme zeigen, Radio machen, Fotografieren, Theaterstücke aufführen: wie Spielen, ohne dass das wirklich etwas wollte, es war alles sehr leicht. Es hatte auf der einen Seite etwas Zielloses – und auf der anderen Seite war es genau deshalb so berückend.

Es war dunkel, die Straßen waren dunkel. Meine engste Freundin hatte für sie und für mich unsere erste gemeinsame Wohnung organisiert, die Wohnung lag in der Lychener Straße, am Helmholtzplatz, was heute wohl der Inbegriff der Gentrifizierung ist. Wir gingen von der Danziger Straße, die damals noch Dimitroffstraße hieß, zum allerersten Mal die Lychener Straße runter,

childhood and adolescence as a loner, there was something heavenly about it. Whenever someone asked me where I was from, I said »Berlin« and that was that, no one asked whether that meant West or East; most people were surprised to learn that I was from West Berlin, apparently it wasn't obvious, and I probably didn't want it to be.

My time with that group of friends was really happy, and we're all still friends today, even if over the years the city around us and the living conditions have changed rather drastically. At some point, even the last holdout got a telephone, and the rolls of paper you'd leave notes on disappeared from the doors. The occupied houses were legalised. The open, the provisional, the illegal, the unfettered – eventually that all came to an end, too. We had to listen to some kind of reason, come to our senses; in the end it was what the structure of the city demanded. We needed rental contracts; we needed contracts, security deposits, and insurance, period. We had to succumb to procedure – ultimately we had to succumb to being adults.

But up until that point we appreciated that space of possibility that had presented itself to us, and we treasured it. Those flats, rooms, attic spaces, and illegal places we took for ourselves, we really loved them. It's not that we occupied them and took them into our possession, lived in them a bit, and then moved on, it was more serious than that – they were romantic places. Places with views and vistas that were important, it had a lot to do with love, with the poetic conception of a city that belonged to you. Rules that no longer applied – in all senses we could open doors, step into the rooms behind them, and appropriate them for one or two weeks in order to show films, produce radio programs, take photographs, present theatre pieces: like games that didn't require any end result, everything was very simple. On the one hand there was something aimless about it all, and on the other that was precisely what made it so captivating.

It was dark, all of the streets were dark. My best friend had arranged for us to have our first shared flat together, on Lychener Straße, right by Helmholtzplatz, today the perfect picture of gentrification. We were walking down Lychener Straße for the very first time, having come over from Danziger Straße, which at that point was still called Dimitroffstraße, and I had the feeling it would just continue to get darker and darker. The flat had a corner room that looked out over Helmholtzplatz, where, in the complete darkness, a fire burned in a barrel – archaic images. It was overgrown, almost buried, by no means an open square but a wilderness; later on I saw documentaries about Helmholtzplatz in the '60s and '70s, old men sitting around under the plane trees playing chess, women on the benches peeling apples, it was just like Hertzbergplatz in Neukölln; there was a simple, lively, and social life. By the time the Wall came down, the square was a wasteland, but one that slowly began to come back

MW Judith Hermann, 1996

und ich hatte das Gefühl, es würde immer dunkler und dunkler werden. Die Wohnung hatte ein Eckzimmer mit Blick auf den Helmholtzplatz, auf dem in völliger Finsternis in einer Tonne ein Feuer brannte – archaische Bilder. Der Platz war zugewuchert, wie verschüttet, kein öffentlicher Platz, eher eine Wildnis; später habe ich Dokumentarfilme über den Helmholtzplatz in den 60er und 70er Jahren gesehen, da saßen alte Männer unter den Platanen und spielten Schach, Frauen schälten Äpfel auf den Bänken wie auf dem Neuköllner Hertzbergplatz, es gab ein einfaches, reges soziales Leben. Zur Zeit des Mauerfalls war der Platz eine Brache, die dann langsam wiederbelebt wurde. Diese wilden, offenen Stellen inmitten der Stadt, die gibt es heute nicht mehr, und ich wundere mich immer darüber, dass es so viele Füchse gibt in Berlin, und denke, wenn die sich hier noch wohlfühlen, ist vielleicht doch noch alles in Ordnung? Können Füchse in Straßen voller Townhouses überleben? Für mich war dieses Berlin der Nachwendezeit als Erzählraum am Anfang sehr wichtig, aber mit dem Schreiben habe ich in ziemlich großer Entfernung angefangen, in New York. Ich bin Mitte der 90er Jahre für ein Volontariat der Journalistenschule nach New York gegangen, ich dachte, dass ich dort bleiben würde, doch ich hatte nicht mit dem extremen Heimweh gerechnet, das ich in New York bekam – Heimweh nach Europa und Heimweh nach Berlin. In dieser Zeit habe ich angefangen, Briefe nach Hause zu schreiben und in den Briefen zu beschreiben, wie New York für

to life. These wild, open spaces in the middle of the city don't exist anymore. And yet, I'm always astonished by the number of foxes in Berlin and if they still feel comfortable here, well, I think then maybe everything is still OK? I mean, can foxes even survive in streets full of townhouses?
At the beginning, this post-unification Berlin was very important to me as a narrative space, but I actually started writing when I was pretty far away, in New York. In the middle of the '90s, I'd gone to New York as part of my traineeship from the Berlin Journalism School, I thought that I'd stay there but I hadn't counted on the extreme homesickness I felt – a homesickness for Europe in general and Berlin in particular. That was when I began to write letters home and to describe what New York was like for me, also compared to Berlin. All of a sudden it became important: writing things down and, in having done so, understanding them differently, coping with them better, and above all taking hold of them, taking hold of the past. After that I came back to Berlin, worked for a short time as a journalist, applied for a scholarship, and in 1996 began to write *Summerhouse, Later* – and then those particular, peculiar, provisional, and luminous years were gone. I think, however, that the energy from that time, strengthened by sentimentality, regression, and melancholy, flowed into these stories – a story like »Bali Woman« about a party at the Volksbühne and staying up through the night with a Balinese woman, going home at six in the morning and everything in winter.

mich ist, auch wie es ist im Vergleich zu Berlin. Auf einmal wurde das wichtig: Dinge aufschreiben und sie im Aufschreiben anders verstehen, besser bewältigen und vor allem wohl festhalten, das Vergangene festhalten.

Dann kam ich nach Berlin zurück, habe eine kurze Zeit als Journalistin gearbeitet, mich für ein Stipendium beworben und 1996 angefangen, *Sommerhaus, später* zu schreiben – und da waren diese bestimmten, eigenen, provisorischen und leuchtenden Jahre schon vorbei. Ich nehme aber an, dass die Energie aus dieser Zeit, potenziert mit Sentimentalität, Regression und Wehmut, in diese Geschichten mit eingeflossen ist – so eine Geschichte wie die »Bali-Frau« über eine Volksbühnenparty und dieses nächtliche Rumsitzen bei einer Balinesin, das Nachhausegehen morgens um sechs und immer im Winter. Die Stadt war auf eine Art und Weise eine Stadt in Schwarzweiß, ich erinnere mich gar nicht richtig an Farben. Und dieses wunderbare Schwarzweiß war, als ich *Sommerhaus, später* schrieb, eigentlich schon verloren; ich habe mir das schreibend zurückgeholt und schreibend bewahrt. Danach hatte ich, schon in *Nichts als Gespenster* und auch in allen anderen Büchern, überhaupt keine Lust mehr, Berlin-Geschichten zu schreiben. Ich habe auch *Sommerhaus, später* nicht als Berlin-Buch gesehen, aber es ist mir dann schon klar geworden, warum es letztlich wohl doch eines gewesen ist.

Schreiben ist für mich ganz ähnlich wie Fotografieren. Oder umgekehrt – ein gutes Foto macht etwas Ähnliches wie eine gute Kurzgeschichte, es kann einen einzigen Moment festhalten. Du weißt nicht, wie es zu dem Moment gekommen ist, und du weißt auch nicht, wo dieser Moment hinführen wird, aber im Foto transportiert sich die pure Gegenwart, und genau so sollte eine gute Geschichte sein. Ich habe oft Fotos auf dem Schreibtisch, und ich schreibe dann im übertragenen Sinn an diesen Fotos entlang. Und Fotografien aus dieser Zeit, aus den Berliner Jahren, auch Fotos von Freunden, sind einerseits schwer zu ertragen, weil das alles vergangen und vorüber ist, und andererseits sind sie so exotisch wie eine Schmetterlingssammlung: aufgespießte, fixierte, angehaltene Zeit. Schön, dass es das gibt – dass der Moment vorbei, aber auf dem Foto immer noch da ist, und dann denke ich mit Staunen: »So war das, so ist das tatsächlich gewesen.«

In a way, the city was a city in black and white, I don't really remember any colours. And by the time I began to write *Summerhouse, Later*, this wonderful black and white was already gone; by writing I managed to bring it back and by writing preserve it. Afterwards, already with *Nothing but Ghosts* and then all my other books, I just wasn't interested in writing any more Berlin stories. But, to be fair, I hadn't considered *Summerhouse, Later* to be a book about Berlin, though later it became clear to me why it ultimately is.

Writing is very similar to photography for me. Or maybe it's the other way around – a good photo does something similar to a good short story, it captures a single moment. You don't know how the moment came about and you don't know where the moment will lead, but pure presence transports itself to the photo, and that's exactly how a good story should be. I often keep photographs on my desk and transfer them, in a way, to my writing. And photographs from that time, the Berlin years, also photos from my friends, are on the one hand difficult to bear because everything is past and gone, but on the other they are as exotic as a butterfly collection: time pinned, fixed, stopped. It's beautiful that something like that exists – the moment is gone, but in the photograph it continues to live on, and then, truly amazed, I think: »That's how it was, that's how it really was.«

KUNST
& KAFFEE

ART
& COFFEE

Berlin ist keine Insel mehr, alte Strukturen lösen sich auf und lassen einen neuen Lebensraum entstehen, der einlädt zu Improvisation und Experiment. Wer es wagt, sich der Freiheiten zu bedienen, findet ein riesiges Areal an Möglichkeiten, weit entfernt von der bekannten Realität ost- oder westdeutscher Lebenswelten. In den verlassenen Häusern und auf den Straßen finden sich die Versatzstücke vergangener Zeiten und lassen sich zu einem neuen, bunten und oft nur temporären Bild zusammenfügen.

Berlin is no longer an island; the old structures have dissolved, which in turn has allowed a new one to arise, one which calls for improvisation and experimentation. Those willing to risk taking advantage of the new freedoms can avail themselves of an immense range of possibilities far beyond the once-established realities of East or West Germany. In the abandoned buildings and on the streets, the set pieces of former times are being reassembled to create new, colourful, and often only temporary spaces.

FOTOS **PHOTOS**
Ben de Biel ~ Hendrik Rauch ~ Philipp von Recklinghausen
Markus Werner ~ Rolf Zöllner

RZ Maskenball / Masked ball, Palais am Festungsgraben, 1994

RZ S-Bahnhof Oranienburger Straße, 1990

B d B Ninjapleasure, Schrottplatz am / **Scrapyard at** Mauerpark, 1995

MW Kat & Markus, 2001

P.R. Kommandantur, Rykestraße, Ecke /**at the corner of** Knaackstraße, 1992

RZ Inchtabokatables, Dunckerclub, 1991

P°R Christopher Street Day, 1992

B×B RA.M.M. Theater, 1990

PYR Audio Ballerinas, Projekt von / **Project by** Benoît Maubrey

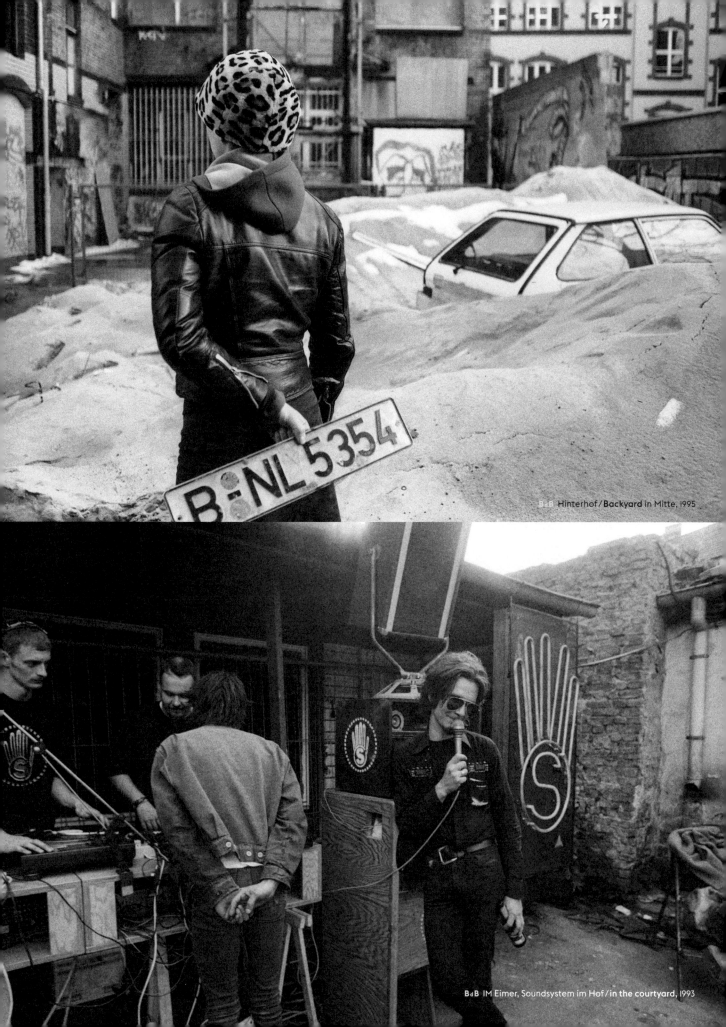

B₈B Hinterhof / **Backyard** in Mitte, 1995

B₈B IM Eimer, Soundsystem im Hof / in the courtyard, 1993

BdB Badeausflug / **Gone swimming,** 1992

HR *Wrapped Reichstag,* Christo & Jeanne-Claude, 1995

RZ ↑ Stadtbad Oderberger Straße, 1990 P'R → Iva Bittová, Tacheles, 1996

RZ Kino im/cinema at Gleimtunnel, 1993

KLAUS BIESENBACH

Kunstkatalysator Mitte
Kunst Catalyst Mitte

Den Sommer 1989 habe ich in New York verbracht. Ich habe damals Medizin studiert und hatte ein Stipendium, das mir auch das Studium im Ausland ermöglicht hätte. Also habe ich mir in New York die Medical Schools angeschaut und von dort aus die Botschaftsbesetzungen in Osteuropa, Prag und Budapest und die Leipziger Demos »miterlebt«. Mir wurde schnell klar, dass ich nicht in New York bleiben wollte, wenn einmal in meinem Leben Geschichte passiert. So bin ich dann zurück, habe in München kurz meine Taschen gepackt und bin noch im November 1989 nach Berlin. Jeder wollte nach dem Fall der Mauer dorthin, und ich bekam im Westen keine Schuhschachtel, die erschwinglich gewesen wäre. Ich bin dann in den Osten gefahren und habe mich dort bei der Kommunalen Wohnungsverwaltung um eine Wohnung beworben, anfangs ohne Erfolg. Bei meinem dritten Besuch haben sie mir einen ehemaligen Fahrradkeller in der Großen Hamburger Straße vermietet.

Nachdem ich also eine Unterkunft hatte, habe ich nachgefragt, ob ich nicht eine andere verlassene Wohnung als Projektraum für Ausstellungen bekommen könnte. Ich konnte dann ab Frühjahr 1990 in der Krausnickstraße einen Raum nutzen, und dort haben wir angefangen, Ausstellungen zu machen. Das ist dann fließend in die Auguststraße 91, dann 69, die Kunst-Werke, übergegangen. Also haben die Kunst-Werke eigentlich inoffiziell schon 1990 angefangen, da war ich dreiundzwanzig Jahre alt.

Ich habe noch bis 1994 Medizin studiert, war aber gleichzeitig an der Hochschule der Künste bei Katharina Sieverding. Das Stipendium für das Medizinstudium hat mein Leben ermöglicht; das Kunststudium habe ich abends gemacht, und nachts und morgens habe ich die Kunst-Werke gemanagt, geleitet und auf den Weg gebracht – Sponsoren gefunden, Ausstellungen organisiert, renoviert, sechzig Tonnen Kohle akquiriert –; ich war rund um die Uhr eingespannt. Diese Zeit von 1989 bis 1991 war vollkommen »off the grid«, ohne Stromrechnung, ohne Telefon.

I spent the summer of 1989 in New York. At the time, I was studying medicine and had received a scholarship that made it possible for me to study overseas. And so I'd had a look at med schools in New York, and it was from there that I watched the embassy occupations in Eastern Europe and the demonstrations in Prague, Budapest, and Leipzig unfold. I quickly realised I didn't want to stay in New York if it meant missing out on history in the making. So I went back, quickly packed up my things in Munich, and moved to Berlin in November 1989. Everyone wanted to go there after the fall of the Wall, and in the West I wouldn't have been able to afford a shoebox. So I went to East Berlin and applied for a flat through the local housing authority, at first to no avail. On my third visit, they ended up renting me a basement-level bike room on Große Hamburger Straße.

After securing a place to live, I asked if I might be able to have another empty apartment to use as a project space for exhibitions. At the beginning of 1990, then, I was able to get a space on Krausnickstraße, and that's where we started to put together exhibitions. From there, what became the Kunst-Werke Institute for Contemporary Art moved seamlessly to Auguststraße 91 and then over to 69. And so, unofficially, Kunst-Werke already started in 1990, when I was twenty-three years old.

I continued to study medicine up until 1994, but was also attending classes with Katharina Sieverding at the Hochschule der Künste (University of the Arts). My scholarship to study medicine paid my bills, and I studied art during the day; evenings, nights, and early mornings I managed, directed, and got Kunst-Werke off the ground. I found sponsors, organised exhibitions, renovated, collected sixty tons of coal – I was busy around the clock. The time between 1989 and 1991 was totally »off the grid«, no electricity bills, no telephone. After my stay in capitalistic New York, where everyone sells themselves at the highest price possible, it was a big adjustment to experience the humility of East Berlin. Here people just focused on day-to-day life; they had

Klaus Biesenbach, Monatskarte Berliner Verkehrsbetriebe / **Monthly Pass: Berlin transport company,** 1992

Nach meinem Aufenthalt im »kapitalistischen« New York, wo sich jeder so teuer wie möglich verkauft, war es eine große Umstellung, diese Bescheidenheit in Ostberlin zu erleben. Hier lag der Fokus auf dem täglichen Leben, auf anderen Werten. Für mich, der in Westdeutschland mit dem Gedankengut von Joseph Beuys und Heinrich Böll, von zivilem Ungehorsam und Zivilcourage aufgewachsen war, war das Erleben dieser DDR-Mentalität etwas, was ich sehr bewusst wahrgenommen und sehr geschätzt habe – damals und auch im Rückblick.

Gleichzeitig war mir sofort klar, was für ein Möglichkeitsraum sich in Berlin-Mitte auftun würde. Die Auguststraße war ja nur fünfhundert Meter von der Museumsinsel und Unter den Linden entfernt; zudem war klar, dass Berlin eine wichtige Drehscheibe in Europa werden würde.

Kurz vor der ersten Berlin Biennale kam ein junger französischer Kurator, der viel von den Kunst-Werken gehört hatte und sich bewerben wollte. Ich habe ihn durch die Anlage geführt, und er ist rückwärts wieder rausgegangen und hat gesagt: »Das ist doch nur eine alte Ruine mit ein paar Trabi-Garagen.« In dem Moment wurde mir klar, dass ich es die ganzen Jahre über in völliger Realitätsverachtung immer so beschrieben hatte, als wäre es das führende Kulturzentrum in Europa – und wenn man nicht daran glaubte, dann sah man nur eine alte Ruine. Die meisten haben aber glücklicherweise daran geglaubt, vor allem die Künstler.

other values. For me, someone who'd grown up in West Germany with the ideas of Joseph Beuys and Heinrich Böll, with civil disobedience and civil courage, the experience of this GDR mentality was something that I very consciously took note of and very much appreciated – both then and in retrospect.

At the same time, I immediately realised that an incredible space for possibilities would be opening up in Berlin Mitte. Auguststraße was just 500 metres away from Museum Island and Unter den Linden. On top of that, it was obvious that Berlin was going to become an important hub within Europe.

Shorty before the first Berlin Biennale, a young French curator who'd heard a lot about Kunst-Werke came looking to apply for a position. I gave him a tour, but he walked right back out (backwards, I might add) saying, »Why, this is nothing but an old ruin with a few garages for Trabis«. At that moment I understood that for years, despite the lack of any real evidence, I'd been describing it as if it were the leading cultural centre of Europe – and it stood to reason that, if you didn't believe it, naturally you'd just see an old ruin. Luckily, however, most people did believe in it, artists especially.

One of our first biggest actions was called »37 Spaces«, and it took place in 1992 at the same time as the Documenta in Kassel. 37 curators took over 37 empty spaces on Auguststraße. In just one week in June, 35,000 visitors came; the locals thought things would

Yoko Ono und Künstlerinnen / **and artists**, »37 Räume«, 1992

Eine unserer ersten großen Aktionen war »37 Räume«, die 1992 parallel zur Documenta in Kassel stattfand. 37 Kuratoren haben 37 leere Räume in der Auguststraße bespielt. In der einen Woche im Juni kamen 35.000 Besucher in die Auguststraße, die Anwohner haben gedacht, das reißt jetzt nicht mehr ab. Gaby Horn, die jetzt die Berlin Biennale macht, hat einen Raum in der Auguststraße 4 gehabt, in dem sie nur Künstlerinnen ausgestellt hat. Da war z. B. Yoko Ono dabei, die ich seitdem kenne und mit der ich eine große Ausstellung im MoMA gemacht habe. Frank Wagner hat Félix González-Torres ausgestellt, ich selbst habe eine Nan-Goldin-Ausstellung gemacht. Selbst in einer so kleinen, relativ kurzen Straße wie der Auguststraße haben wir mal eben 37 freie Räume gefunden – eine alte Kirche, eine Toilette, mehrere Ladenlokale, eine Schule, mehrere Dachgeschosse, eine alte Fabrik – und haben diese umwandeln können in eine einwöchige Ausstellung. Für uns war das das erste Signal, dass wir eine internationale Öffentlichkeit und Kunstszene anziehen können.

Wir haben damals auch Künstler in den Kunst-Werken untergebracht. Susan Sontag war dort, später der Modedesigner und Fotograf Hedi Slimane, sehr viele Musiker. Wir hatten mit dem Pogo unseren eigenen Club im Keller, haben Fischerspooner im Café Bravo spielen lassen, dem von Dan Graham gebauten Pavillon im Hof, dessen Eröffnung Miuccia Prada für uns persönlich organisiert und ausgerichtet hat. Es war

never go back to normal. Gaby Horn, now head of the Berlin Biennale, ran a space at Auguststraße 4 that only showed female artists. Yoko Ono exhibited there, for example, and she and I have been friends ever since; I put together a huge show at the MoMA with her. Frank Wagner put together an exhibit with Félix González-Torres. I did one with Nan Goldin. Even in such a minor, relatively short street like Auguststraße we'd managed to find 37 free spaces – an old church, a toilet, a number of shops, a school, numerous attics, an old factory – and were able to transform them into a week-long exhibition. For us, that was the first sign that we could attract an international audience and an international art scene.

Back then we'd also have artists stay at Kunst-Werke: Susan Sontag was there, later on the fashion designer and photographer Hedi Slimane, a lot of musicians. We had our own club down in the basement, Pogo, had Fischerspooner play at Café Bravo, the pavilion Dan Graham had built in the courtyard whose opening Miuccia Prada had personally set up and organised for us. It was a really international time when Berlin was uncharted territory, and everyone was curious about it. Sometimes I thought that maybe I was a bit too young, a kind of apprentice director who'd invited all these professors in order to learn from them – Dan Graham, Marina Abramović, Joan Jonas – but all of them indeed came and worked at Kunst-Werke.

eine sehr internationale Zeit, in der Berlin Neuland war und alle Leute darauf neugierig waren. Ich dachte manchmal, ich bin vielleicht ein bisschen zu jung, eine Art Praktikant-Direktor, und das sind die Professoren, die ich mir eingeladen habe, um von ihnen zu lernen: Dan Graham, Marina Abramović, Joan Jonas – und die sind auch alle gekommen und haben in den Kunst-Werken gearbeitet.

Wir haben große Essen veranstaltet, das Essen war vielleicht nicht so toll, aber darum ging es auch nicht. Es war großartig, wie viele Künstler da zusammenkamen, Thomas Demand, Monica Bonvicini, Olafur Eliasson, Douglas Gordon, Doug Aitken, Jane und Louise Wilson, Matthew Barney und Björk – alle möglichen Leute, die einfach gefeiert, gegessen, geredet und sich getroffen haben. Es war wie ein Katalysator, wo ganz viele Gespräche stattfinden konnten.

1995 sollte es auf der Biennale in Venedig keine Aperto für jüngere Künstler geben. Da sind wir alle mit dem Zug hingefahren – damals gab es noch keine billigen Flüge – und haben im alten Opernhaus den »Club Berlin« gemacht, ein 72-Stunden-rund-um-die-Uhr-Event mit Performances, Musik, Filmen und dem ersten Internet-Kongress »Nettime«. Hinterher dachten wir, das hätten wir eigentlich auch in Berlin machen können, wäre viel einfacher gewesen. So haben wir die Berlin Biennale ins Leben gerufen. 1996 haben wir den Träger-

We'd cook a lot of food, food which maybe wasn't all that great, but that wasn't the point. It was just amazing to see how many artists got together there: Thomas Demand, Monica Bonvicini, Olafur Eliasson, Douglas Gordon, Doug Aitken, Jane and Louise Wilson, Matthew Barney and Björk – all kinds of people just coming to party, eat, talk, and spend time with one another. It was like one big catalyst where so many different conversations could take place.

In 1995 there wasn't going to be the Aperto for young artists at the Venice Biennale. We all went down with the train – there weren't any cheap flights back then – and set up »Club Berlin« at the old opera house: a 72-hour, round-the-clock event with performances, music, films, and the first-ever internet conference, »Nettime«. Afterwards, we realised we could've actually done it all in Berlin; in fact, it would've been a lot easier. And that's how the Berlin Biennale came to life. In 1996 we founded the board of trustees, in 1997 we took part in Documenta with our »Hybrid Work Space« (this was where Christoph Schlingensief was arrested on stage), and then in 1998 there was the first Berlin Biennale.

A whole generation was involved in these developments. Monica Bonvicini, for example, was one of the first female artists to do something at Kunst-Werke back when it was still at Auguststraße 91, then she was

Kunst-Werke, 1993

verein gegründet, 1997 haben wir mit dem »Hybrid Work Space« an der Documenta teilgenommen, wo Christoph Schlingensief von der Polizei auf der Bühne verhaftet wurde, und dann 1998 gab es die erste Berlin Biennale.

Es war eine ganze Generation, die an diesen Entwicklungen beteiligt war. So war zum Beispiel Monica Bonvicini eine der ersten Künstlerinnen, die in den Kunst-Werken gearbeitet haben, noch in dem alten Raum in der Auguststraße 91, dann war sie beim »Club Berlin« dabei, später bei der Berlin Biennale. Thomas Demand, der ganz früh in den Kunst-Werken ein Atelier hatte, war dann natürlich auch bei der Berlin Biennale extrem präsent. Musiker wie Inga Humpe und Malcolm McLaren, Schriftsteller wie Jeffrey Eugenides, Florian Illies oder Peter Richter, Filmemacher wie Spike Jonze, Tom Tykwer, Oskar Roehler und Christoph Schlingensief, Architekten wie Sauerbruch Hutton und Eike Becker – zu Beginn der 90er war alles auf Anfang, und man sah sich gegenseitig dabei zu, wie man versuchte, eine Form zu finden, etwas aufzubauen und den Dingen eine Gestalt zu geben.

Berlin war ein Freiraum im metaphorischen, aber auch im ganz wörtlichen Sinn. Es gab leere Räume, unbesetzte Stellen, und es hatte etwas sehr Großzügiges, dass es so viele Leerstellen, Leerstände, leere Laden-

involved with »Club Berlin«, and later still the Berlin Biennale. Thomas Demand, who'd had an atelier at Kunst-Werke back at the very beginning, was naturally also extremely present at the Berlin Biennale. Musicians like Inga Humpe and Malcolm McLaren, writers like Jeffrey Eugenides, Florian Illies, or Peter Richter, filmmakers like Spike Jonze, Tom Tykwer, Oskar Roehler, and Christoph Schlingensief, architects like Sauerbruch Hutton and Eike Becker – at the start of the '90s, everything was just beginning, and at the same time you could see how everyone was trying to find a form, establish something and give those things a shape. Berlin was a free space in a metaphorical as well as quite literal sense. There were empty spaces, unoccupied places, and there was something grandiose about it all, that all those empty spaces, shops, basements, buildings, bunkers, supermarkets even existed. No one got in anyone else's way, there was enough room for everyone, and that's why people could work so productively with one another. The moment that everything was in the process of coming into being was the most exciting of all: the memory of the past, the improvisational freedom of the present, and a vision of the future.

I was in Berlin for fifteen years, from 1989 to 2004, and then went to MoMA in New York, first as a curator

PTR Kunst-Werke, Auguststraße, 1992

lokale, Keller, Gebäude, Bunker, Supermärkte gab. Man kam sich nicht so in die Quere, es gab genug Raum für alle, und man konnte deshalb auch extrem produktiv zusammenarbeiten. Der Moment, als alles im Werden war, war der spannendste: die Erinnerung an die Vergangenheit, die improvisierte Freiheit der Gegenwart und die Vision für die Zukunft.

Ich bin fünfzehn Jahre in Berlin gewesen, von 1989 bis 2004, und dann nach New York ans MoMA gegangen, war dort erst Kurator und bin dann einer von sieben leitenden Kuratoren geworden. Seit 2010 leite ich zusätzlich das MoMA PS1. 2008 war die ehemalige Direktorin Alanna Heiss pensioniert worden, und im gleichen Jahr hatte es den Börsencrash gegeben. Auf einmal war nicht klar, ob diese Institution weiter existieren kann. Als Kurator war ich in diesem Notfall dann gefordert, das PS1 als MoMA PS1 nochmal neu zu erfinden und zu etablieren.

Solche Institutionen gehen durch gewisse Lebensabschnitte, wo sie relevanter oder weniger relevant sind. Ich finde, das alte PS1 war, als es in den 70er Jahren gegründet wurde, ungeheuer wichtig, um einen anderen Begriff von Museum zu etablieren. Und es ist jetzt wichtig, um Freiräume für Künstler zu bieten in einer Stadt, die sich fast keine Künstler mehr leisten können. Die Stadt New York wird immer teurer, immer schneller, immer höher. In dieser Situation hat es dann auf einmal wieder eine andere Bewandtnis, wenn Vito und Maria Acconci drei Monate auf einer Etage an einer Ausstellung bauen können, ohne dass man sie verpflichtet, sie überhaupt zu eröffnen.

Ich glaube, dass die Kunst-Werke und das MoMA PS1 insofern Parallelen haben, als sie in erster Linie für die Künstler da sind. Es sind keine Institutionen, die daran orientiert sind, dass eine Million Leute vorbeikommen, sondern sie sind daran interessiert, dass die Künstler, die in der Stadt leben, aber auch die internationale Künstlerszene, einen Ort haben, wo man Neues artikulieren kann, wo man Experimente in einem kleineren Kreis veröffentlichen kann und wo es um die Künstler und die Kunst geht. In gewisser Weise also ein Freiraum und ein Raum für Experimente.
Für mich ist Kunst von Beginn an soziale Praxis gewesen, und für mich sind Kunsträume soziale Räume. Ich glaube, dass Kunst immer ein Verantwortungsträger ist, sowohl in der Antizipation wie auch in der Formfindung. Kreativität ist produktiver Ungehorsam.

and then as one of its seven chief curators. In addition, since 2010 I have also run MoMA PS1. In 2008, the former director, Alanna Heiss, went into retirement, and that was the year of the financial crash. All of a sudden it wasn't clear whether these institutions would be able to continue to exist. As a curator, this emergency challenged me to once again reinvent and re-establish PS1 as MoMA PS1.
These kinds of institutions go through clear stages of life in which they are more or less relevant. I think that, when it was founded in the '70s, the old PS1 was tremendously important in establishing a different concept of what a museum could be. And it is now important in offering free spaces to artists in a city that hardly any artists can afford anymore. The city of New York is constantly getting more expensive, constantly moving more quickly, constantly rising higher into the sky. In this context, it suddenly becomes a completely different matter when we can let Vito and Maria Acconci close off an entire floor for three months to work on an exhibition without obligating them to even open it at all.

I think that Kunst-Werke and MoMA PS1 have parallels in as much as that they first and foremost exist for artists. They are not institutions geared towards bringing in a million people, but they are interested in giving the artists who live in the city, and the international art scene too, a place where they can articulate new things, where they can present experiments to a smaller circle of people, and where everything revolves around artists and art. So, in a sense, both a free space as well as a space for experiments.
For me, from the outset, art is a social practice, and, for me, art spaces are social spaces. I think that art has a strong responsibility in terms of anticipation as well as in the form it takes. Creativity is productive disobedience.

NACHT
WACHE

NIGHT
WATCH

1992 begleitet der Fotograf Philipp von Recklinghausen die Beamten der Wache Brunnenstraße mehrfach auf ihren Nachtschichten durch Mitte. Auf ihren Touren durch die nächtlichen Straßen, im Spannungsfeld zwischen Straßenstrich und Feiermeile, begegnen sie den Gewinnern, aber vor allem den Verlierern der neuen Zeit – Huren und Zuhältern, Revolverhelden, Säufern und all jenen, die sich in der neuen Ordnung noch nicht eingerichtet haben.

In 1992, the photographer Philipp von Recklinghausen followed police officers from the Brunnenstraße precinct on their nightly shifts through Mitte numerous times. On their tours through the night-time streets, particularly the tense area then vacillating between prostitution and party strip, they encountered the winners of the new age, but above all its losers – pimps and prostitutes, gunslingers and drunkards, and all those who had not yet adapted themselves to the new order.

FOTOS **PHOTOS**
Philipp von Recklinghausen

P^xR Polizeidirektion / **Police Department** 3, Abschnitt / **Section** 31, Brunnenstraße, 1992

Nachtschicht / **Nightwatch**, 1992

BERND BERCHER

}
}

Die Zusammenarbeit nach der Wende zwischen Ost- und West-Kollegen war sehr gut. Wir waren aufeinander angewiesen, und dieses Aufeinander-angewiesen-Sein hat uns auch sehr schnell miteinander verschmolzen.

After reunification, collaboration between colleagues from the East and the West was really quite good. We were mutually dependent on each other, and this brought us together really quickly.

HANS-UDO HÜTTENRAUCH

}
}

Das wird es nie wieder geben, dieses Zusammenwachsen. Das war ja eine Situation, die hatte niemand auf dem Schirm, wie es so schön heißt.

That will never happen again, that kind of coming together. That was a situation on nobody's radar, as they so wonderfully say.

BERND BERCHER

Wir hatten dieses uralte Equipment, sind mit dem Lada oder mit einem Barkas rumgefahren. Wir hatten teilweise Fahrzeuge, die die Behörde vom Schrottplatz geholt hatte. Es gab auch eine Art Basar: Biete eine Ostuniform gegen zwei Handfesseln des neuen Standards. Organisieren und Improvisieren war ein großes Thema, das hat auch Spaß gemacht. Bis diese Situation behoben war, vergingen viele Jahre.

We had all this ancient equipment; we'd drive around in a Lada or a little Barkas van. Some of our vehicles were ones officials had pulled from the junkyard. There was also a kind of bazaar – offering: one old East uniform for two of the new standard-issue handcuffs. Organising and improvising were big, and it was fun too. A lot of years went by before the situation evened out.

P'R Hackescher Markt, 1992

PYR Burgstraße, 1992

HANS-UDO HÜTTENRAUCH

Zum einen erwachte die Oranienburger Straße als Straßenstrich, und andererseits hatte sich dort, mit Häusern wie z. B. dem Tacheles, eine Subkultur gebildet.

Mit den Mädels gab es so gut wie nie Schwierigkeiten, manchmal waren sie ein bisschen pampig, aber ansonsten war alles nicht so wild.

On the one hand, Oranienburger Straße had turned into a prostitution strip and, on the other, you had buildings like Tacheles, where a subculture had begun to grow.

There were almost never any problems with the ladies; sometimes they might be a bit snotty, but in general nothing too wild was going on there.

P R Kofferraumfund / **Found in the boot**, Oranienburger Straße, 1992

BERND BERCHER

Im Milieu war der Ton rau, man konnte aber eine deutliche, direkte Sprache sprechen. Das kam am besten an und funktionierte dann auch. Hart war es in der Oranienburger Straße, in der Zuhälterszene. Wir hatten dort anfangs überwiegend deutsche Freier, deutsche Zuhälter, das hat sich dann aber später mit den Russen und dem Rockermilieu total verändert.

The whole scene was pretty raw, but you could get by with a sharp, direct way of speaking. That was the best approach, and it worked too. The pimp scene on Oranienburger Straße was pretty tough. At the beginning it was predominantly made up of German johns, German pimps, but that totally changed later on with the Russians and the whole biker scene.

PYR Oranienburger Straße, 1992

P'R Personenkontrolle / Screening, 1992

P°R Fahrzeugkontrolle / **Vehicle control**, Burgstraße, 1992

HANS-UDO HÜTTENRAUCH

Damals sind hier Autos rumgefahren, das kann man sich nicht vorstellen. Wir hatten ja so viele Polizisten hier, und um die zu beschäftigen, haben wir jede Nacht Verkehrskontrollen gemacht. Was wir da an Autos aus dem Verkehr gezogen haben, die keinen TÜV hatten. Der Westen hat ja seinen ganzen Schrott flächendeckend in den Osten verkauft.

Back then there were a lot of cars around, you just can't imagine. We had so many police officers here, so in order to give them something to do we had them do roadside checks every single night. So many of the cars we pulled out of traffic hadn't passed inspection! The West had just sold its junk to the East en masse.

Zeugenaussage / **Testimony,** Oranienburger Straße, 1992

HANS-UDO HÜTTENRAUCH

Es war eine feste Schicht, man kannte seine Kollegen. Man wusste genau, wie reagiert der jeweilige in der Situation. Wenn wir ausstiegen, war jedem klar, was er zu tun hatte. Es hatte sich einfach eingespielt. Das war eine Besonderheit dieser Zeit, das gegenseitige Vertrauen und einander Kennen.

You had a fixed shift, you knew your colleagues. You knew exactly how they would react in any situation. Whenever we got out of our patrol car, everyone knew what they had to do. It all just took care of itself. That was an unusual feature of the time, that reciprocal trust and absolute familiarity.

P'R ↖ ↙ Verhaftung / **Arrest**, Tucholskystraße, 1992   P'R ↑ Konfiszierte Gaspistole / **Confiscated gas-pistol**, 1992

HANS-UDO HÜTTENRAUCH

Da war dieser Rentner, der auf der Straße mit der Schreckschusswaffe hantiert hat. Den Leuten war nie bewusst, in welche Gefahr sie sich selbst gebracht haben. Aber man wusste eben, das sind entweder Spinner, Betrunkene oder Harmlose.

Once there was a pensioner out on the street waving a blank gun around. Those people never had any idea what kind of dangerous situation they'd put themselves into. But you knew they were either just nuts, drunk, or harmless.

BERND BERCHER

Die Menschen, die hier im Kiez gewohnt haben, waren eher finanziell schwach aufgestellt und improvisierten viel – nicht immer auf legalem Wege.

Man wurde als Polizist damals teilweise mehr respektiert, als man das heute wird.

The people who lived in the neighbourhood were in a rather precarious economic spot and improvised a lot – not always legally.

But back then you were in some ways more respected as a police officer than you are today.

P'R ↑ → Wache / **Station**, 1992

Schließfächer für Dienstwaffen / Lockers for service weapons, 1992

ROBERT LIPPOK

⟩

Ornament und Verbrechen
Ornament and Crime

Ich bin am Zionskirchplatz in Mitte aufgewachsen. Mein Vater schlug zwischen zwei Wohnungen ein Loch in die Wand und baute eine Tür ein, und so haben wir uns dann die Etage mit den Großeltern geteilt. Mein Großvater, der sich selbst »die rote Sau vom Zions« nannte, war eine wilde Person. Und er war Kommunist. Er hat gerne mit Kasimir Byrtschenovski einen getrunken, der in der Zionskirchstraße eine Schuhmacherei betrieb. Die lag auf meinem Schulweg und hatte ein schmales Schaufenster, in dem für uns Kinder kleine gebastelte Szenarien ausgestellt waren. Zusammengelötete Mickey-Mouse-Figuren aus Kronkorken oder Landschaften mit Schiffen. Das war eine ganz frühe Begegnung mit Setting und Bühnenbild, und ich glaube, daher stammt auch mein späterer Wunsch, mit Theater zu tun haben zu wollen. Ich habe nach der Schule eine Ausbildung als Theaterschuhmacher an der Staatsoper gemacht, später Bühnenbild studiert und entwerfe heute für verschiedene Theater Bühnenbilder.

Das Ostberlin meiner Kindheit war ein wilder Ort voller Abenteuer auf Brachen und in leerstehenden Häusern, in denen wir herumsprangen. Schon damals fand ich es seltsam, dass die Stadt einfach aufhörte, mit so einem weißen Band, und dass sich dahinter ein Ort befand, über dem man die Wolken sehen, aber den man nicht erreichen konnte.
Das Desolate, Dunkle und Graue Ostberlins – die Luft war kohlegeschwängert – entsprach meinem Lebensgefühl als Teenager. Ich lief durch die schlecht beleuchteten, leeren Straßen und habe The Cure gehört.
Mit meinem Schulfreund Rico begann ich, Musik zu machen. Sein Vater war Bassist in einer DDR-Combo und schenkte ihm diesen kleinen Casio, den VL-I, den auch Trio benutzt haben. Wir machten mit einem Stern-Kassettenrecorder Aufnahmen. Gesang, Casio, Percussion.
Kurz danach habe ich mit meinem Bruder Ronald Ornament und Verbrechen gegründet, das muss so 1984 gewesen sein. Wir waren beeinflusst von Industrial und Bands aus England wie Throbbing Gristle, Cabaret

I grew up on Zionskirchplatz in Mitte. My father drove a hole through the wall between two flats and built a door, and that's how we ended up sharing the whole floor with my grandparents. My grandfather, who liked to call himself »the red bastard from up Zion way«, was a pretty wild person. And he was a communist. He liked to drink with a man named Kasimir Byrtschenovski who had a shoemaker's workshop on Zionskirchstraße. It was on my way to school and had a small shop window where he'd set up little homemade scenes for all of us kids. Mickey Mouse figures soldered together out of crown caps or landscapes with ships. That was one of my earliest encounters with setting and stage design, and I believe my later wish to do something in theatre probably began there. After secondary school, I trained in theatre-making at the Staatsoper, later I studied set design and today I design sets for various theatres.

The East Berlin of my childhood was a wild, adventure-filled place of brown fields and empty buildings we'd jump around in. At that time it already struck me as odd that the city simply stopped, with a white strip like that, and that beyond was another place above which you could see the clouds, but which you couldn't reach. Desolate, dark, and grey East Berlin – the air was always pregnant with coal – it corresponded perfectly to how I felt as a teen. I'd walk through the empty, poorly lit streets listening to The Cure.
Then I began to make music with my old school friend Rico. His father was the bassist in a GDR combo and gave him a little Casio, the VL-1, the one the band Trio had also used. We made recordings on a Stern cassette recorder. Voice, Casio, percussion.
Together with my brother Ronald, a little while later we formed the band Ornament und Verbrechen (Ornament and Crime); it must've been around 1984 or so. We were influenced by industrial music and bands from England like Throbbing Gristle, Cabaret Voltaire, and The Flying Lizards, which we'd heard on John Peel's radio shows. People always said that in punk you only had to know three chords. Cabaret Voltaire didn't even

Robert Lippok, Ornament und Verbrechen, Galerie Wohnmaschine, 1989

Voltaire und The Flying Lizards, die wir bei John Peels Radiosendungen gehört haben. Man sagte ja immer, im Punk müsse man nur drei Akkorde spielen. Cabaret Voltaire haben noch nicht mal drei Akkorde gespielt, sondern nur mit Geräuschen und Field Recordings gearbeitet. Wir dachten, wenn die mit Rhythmusmaschinen und Blechen Musik machen, dann können wir das auch. Unseren ersten Gig hatten wir mit dem Lyriker Bert Papenfuß, dem Rockstar des Ostberliner Literatur-Undergrounds, dessen Auftritte eher Konzerte als spröde Literaturveranstaltungen waren.

Wir haben in der ersten Zeit viele Instrumente selber gebaut. Dass es in der DDR schwierig war, an Instrumente zu kommen, war nicht der Punkt. Wir verfolgten die Idee der Genialen Dilletanten, Alltagsgegenstände zu suchen und zum Klingen zu bringen. Einmal brachte mein Vater aus seinem Betrieb einen großen Kanister Spülmittel mit. Als er leer war, hat Oma ihn aufgeschnitten und die Legosteine meiner kleinen Schwester darin verstaut. Mein Bruder trommelte zufällig auf dem Plastikcontainer rum, und wir staunten – die rasselnden Legos klangen fast wie eine elektronische Snare.

Als Ronald auf dem Festival des politischen Liedes eine afrikanische Band mit einer viereckigen Trommel sah, deren Klang ihn total begeistert hatte, haben wir uns beim Musikbedarf Takt und Ton ein Ziegenfell gekauft und es auf eine Kommodenschublade aufgezogen. Und aus dem Auspuff eines DDR-Mopeds habe ich mir ein Saxophon gebaut, indem ich drei kreisrunde Löcher reinsägte und ein Mundstück anbrachte. Die Rußparti-

manage that, they worked with sounds and field recordings instead. We thought that if they could make music with drum machines and bits of metal, we could too. We had our first gig with the poet Bert Papenfuß, the rock star of East Berlin's literature underground, whose appearances were more like concerts than stiff literary events.

In the beginning we built a lot of our own instruments. That it was tough to get instruments in the GDR wasn't the point. We were incorporating the ideas of the Geniale Dilletanten, seeking out everyday objects and turning them into instruments. One time my father brought home a big plastic canister of detergent. Once it was empty, my grandmother cut it open and used it to store my little sister's Lego collection. One day my brother happened to drum about on it, and we were amazed by how the rattling Legos almost sounded like an electric snare.

After Ronald was blown away by the sound made by an African band playing a rectangular drum at the Festival of Political Songs, we went to the Takt und Ton music store to buy a goatskin, went home, and pulled it tight across a dresser drawer. Then I built a saxophone out of the exhaust pipe of a GDR moped by sawing three circular holes in it and fashioning a mouthpiece. But I could never get rid of the rust; who knows, maybe one day the long-term effects of my saxophone will kill me.

We put out our music on cassettes in really small numbers, maybe 10 or 20 tapes. It was more of a game,

kel des Auspuffs ließen sich aber nicht entfernen, und wer weiß, vielleicht werde ich noch an den Spätfolgen meines Saxophonspiels sterben.

Wir haben unsere Musik auf Kassetten herausgebracht, in sehr kleinen Stückzahlen von 10 oder 20 Tapes. Es war eher ein Spiel, eine Art Versuchslabor, unsere Musik unter die Leute zu bringen, denn es existierte ja keine Musikindustrie, wo wir hätten andocken können. Niemand hätte uns veröffentlicht. Auch wegen des Namens Ornament und Verbrechen durften wir nirgendwo auftreten, denn Verbrechen war ein Begriff, der in der DDR nicht vorkommen durfte. So konnten wir nur in Privatwohnungen oder Kirchen spielen. Die evangelische Kirche stellte damals ein paar Orte für Gigs der Underground-Bands zur Verfügung. Aufnahmen machten wir in der Wohnung von Bo Kondren, der heute Calyx Mastering betreibt. Wir nahmen immer direkt auf eine Kassette auf, und die wurde dann vervielfältigt und auf Partys herumgezeigt. Weil Kassetten in der DDR Mangelware waren, haben wir keine Gelegenheit ausgelassen, an bespielbare Tonträger zu kommen. Brachte die Westverwandtschaft für die Eltern Mireille-Mathieu-Tapes mit, haben wir sie überspielt. Unsere Editionen waren dementsprechend Unikate, einfach weil sich von vornherein jede Kassette unterschied. Mit den Hüllen haben wir uns sehr viel Mühe gegeben. Sie waren handgemacht: mit Collagen, handabgezogenen Fotos und Tuschezeichnungen.

a kind of challenge to get our music out to people, because there just wasn't any music industry we could have hooked up with. No one would have put out our music. And because of our name, Ornament und Verbrechen, we weren't allowed to play anywhere, seeing as that »Verbrechen« (crime) was a concept you couldn't mention in the GDR. That's why we only played in private homes or churches. The evangelical church at the time had made some spaces available to underground bands to play. We'd record at the home of Bo Kondren, who today runs Calyx Mastering. We'd always record live to cassette, which would then be copied and handed out at parties. Because cassettes were in short supply in the GDR, we didn't miss any opportunity to get useable ones. If our Western relatives brought Mireille Mathieu tapes for our parents, they'd get recorded over. Our editions were thus one of a kind, simply because from the very beginning each cassette was quite literally different. We took great care making our covers, which were done by hand with collages, handmade photos, and ink drawings. Thanks to the extremely limited editions and with no label behind us, we had all the time in the world and would only meet up when we felt creative. Sometimes we didn't do anything for months, then we'd get back together and there'd be a concert or a cassette – being able to work that way was really nice. Over the years, we played in the most diverse musical

Robert Lippok, »Gletschermusik«, 2016

Wegen der kleinen Auflagen und ohne Label im Hintergrund, hatten wir alle Zeit der Welt und trafen uns nur in den kreativen Phasen. Wir haben manchmal monatelang gar nichts gemacht, und dann kamen wir wieder zusammen, und es gab ein Konzert oder eine Kassette – das war ganz schön, so zu arbeiten.
Über die Jahre hinweg spielten wir in den unterschiedlichsten musikalischen Konstellationen und in verschiedenen Besetzungen. Zu Ostzeiten stießen Musiker und Musikerinnen aus dem Westen dazu, einige von ihnen suchten gezielt den Kontakt zur Ostberliner Musikszene und haben dann einfach bei uns mitgemacht. Als Ornament und Verbrechen 1993 im Selbstvertrieb die erste CD, *Superdeluxe Radio,* herausbrachten, waren neben uns Bertram Denzel, der amerikanische Künstler Brad Hwang und Erik Huhn Bandmitglieder. 1995 lernten wir Stefan Schneider kennen und haben mit ihm To Rococo Rot gegründet. Gleich die erste Platte beim Plattenlabel Kitty Yo war ein Erfolg, wir sind zu City Slang gewechselt und haben dann gesagt, o.k., jetzt wollen wir wissen, wie es sich anfühlt, wenn man alles macht, was eine Band macht, die in die Musikökonomie eingebettet ist: Touren, Interviews usw.

Instrumente haben etwas Objekthaftes, das mich schon immer angezogen und beschäftigt hat, und so verschmelzen bis heute in meinen Arbeiten Musik und bildende Kunst. Meine erste Einzelausstellung war im Januar 1989 in Friedrich Loocks Galerie Wohnmaschine, die in seinen privaten Räumen in der Auguststraße betrieben wurde. Die Ausstellung hieß *Schimmelmaschinen* und zeigte Objekte und Zeichnungen, aber auch eine Art Orchestrion: einen Blasebalg, der eine Blockflöte antrieb, die eine repetitive Melodie spielte. 1995 habe ich für eine Ausstellung in der Galerie Weißer Elefant in der Almstadtstraße Bohrmaschinen auf Schallplattenspieler montiert. Mithilfe einer Computersoftware konnte ich Drehrichtung und Drehgeschwindigkeit beeinflussen, wodurch eine Art dunkles, verzerrtes Cluster erzeugt wurde. Die Ausstellung war die Grundsteinlegung unserer Band To Rococo Rot. Wir verstanden uns aber als reines Musikprojekt, wenngleich wir für bildende Künstler wie Doug Aitken oder Olaf Nicolai gearbeitet haben.
Die Galerie Wohnmaschine, bei der ich auch nach der Wende Künstler war, war die erste Galerie im Kiez. Später kam Eigen + Art, die Kunst-Werke machten auf, und ich erinnere mich, dass Friedrich Loock zu mir sagte: »Klaus Biesenbach möchte dich einladen. Er hat in den Kunst-Werken ein Atelier für dich, möchtest du da nicht arbeiten?« Ich sagte: »Ach nee, ich habe doch ein Atelier im Milchhof«, was natürlich total gaga war, höchst bescheuert, aber so war das damals. Die Kunst-Werke waren ein wichtiger Ort, auch weil Klaus Biesenbach die Verbindung zwischen Musik und bildender Kunst gesehen hat. Es gab dort Partys, den Club und eine sehr gute Musikreihe mit experimentellen Sachen.

constellations and line-ups. In the GDR days, sometimes musicians from the West would show up, some of them intentionally seeking out contact with the East Berlin music scene, and then hook up with us and play. At the time Ornament und Verbrechen self-released its first CD, *Superdeluxe Radio*, Bertram Denzel, the American artist Brad Hwang, and Erik Huhn were also band members. In 1995, we met Stefan Schneider and founded To Rococo Rot with him. The first album, on Kitty Yo, was an immediate success, and so we moved to City Slang and then we said, »OK, now we want to know what it feels like to do everything that a band deeply embedded in the music industry does: tours, interviews, etc.«

There is something sculptural about instruments that has always attracted and occupied me, and up until today both music and the visual arts come together in my work. My first solo exhibition was in January 1989 at Friedrich Loock's Galerie Wohnmaschine, which he ran in his private rooms on Auguststraße. The exhibition was called *Schimmelmaschinen* and was made up of objects and drawings, but it was also a kind of orchestrion: there was a bellows that drove a recorder which in turn played a repetitive melody. For an exhibition at the Weißer Elefant Galerie on Almstadtstraße in 1995 I affixed power drills to record players. With the help of computer software I could influence which way they spun and at what speed, which made it sound like a kind of dark, distorted cluster. The exhibition laid the foundation for our band To Rococo Rot. We understood ourselves to be a pure musical project, even though we did work for visual artists like Doug Aitken or Olaf Nicolai.
The Galerie Wohnmaschine, which I also was a part of after reunification, was the first gallery in the neighbourhood. Later on, Eigen + Art and the Kunst-Werke opened up, and I remember Friedrich Loock saying to me: »Klaus Biesenbach wants to invite you. He has an atelier at Kunst-Werke for you, wouldn't you like to work there?« To which I replied: »Nah, I've got an atelier in the Milchhof,« which, naturally, was just totally nuts, absolutely moronic, but that's how things were back then. Kunst-Werke was an important place, also because Klaus Biesenbach recognised the connection between music and visual art. They hosted parties, they had the club and ran a very good experimental music series.
During the GDR I attended secondary school on Auguststraße. That white building with the archways next to the girls' school really unnerved me – as a punk and New Waver I always had trouble with my teachers. That's why Auguststraße had a somewhat negative association for me, but that quickly changed with the fall of the Wall.
In the '90s it was a main artery here in the neighbourhood: there were a lot of galleries, but greengrocers too, it was really lively. At the beginning there were still

To Rococo Rot, 2000

Ich war zu DDR-Zeiten in der Auguststraße aufs Gymnasium gegangen. Das weiße Gebäude mit dem Torbogen neben der Mädchenschule, das war mein Ort der Angst – als Punk und New Waver hatte ich immer Ärger mit den Lehrern. Von daher war die Auguststraße für mich eigentlich eher negativ besetzt, was sich dann aber nach der Wende schnell änderte.

In den 90er Jahren war sie wie eine Hauptader hier im Kiez. Es gab viele Galerien, aber auch Gemüseläden, es war sehr lebendig. Es gab am Anfang noch besetzte Häuser, und es gibt zum Glück bis heute diese Plattenbauten, in denen nicht nur Gutbetuchte wohnen.

1986 habe ich meinen Ausreiseantrag, eigentlich einen Heiratsantrag, gestellt. Die Stasi kam zu mir und meinte: »Sie werden nie ausreisen, vergessen Sie es.« Und dann passierte es doch, im Januar 1989 zog ich vom Osten in den Westen, während in der Galerie Wohnmaschine meine Ausstellung lief. Ich verließ quasi mit wehenden Fahnen Ostberlin und habe Westberlin noch als Mauerstadt kennengelernt. Gewohnt habe ich in Schöneberg. Natürlich ging ich auf die Acid-Partys in der Nachbarschaft, in die Turbine Rosenheim oder ins Ufo. Als Dimitri Hegemann das Fischlabor eröffnete, habe ich mitgeholfen, es auszubauen, einfach ein Job, um Geld zu verdienen, Spanplatten an die Wand schrauben, malern, installieren.

a lot of squatted buildings, and, thankfully, there are still a number of Plattenbau high-rises that are not only home to the well heeled.

In 1986, I had applied for an exit visa, which was really an application to get married. The Stasi came to me and said: »You're never going to go anywhere, forget it.« But then it happened after all, and in January 1989 I moved to the West while my exhibition was still on at the Galerie Wohnmaschine. I left East Berlin with a parade, you could say, and got to know West Berlin when it was still the walled city. I lived in Schöneberg. Naturally, I went to the acid-house parties in the neighbourhood, to the Turbine Rosenheim or to UFO. When Dimitri Hegemann opened up the Fischlabor, I was there to help get it in shape, it was just a job to make some money, putting up particle boards, painting, installing, and the like.

Then the Wall came down and the crazy times really began, I thought it was great, the isolation was over. And yet I made it hard on myself to even see the new opportunities at all. At the beginning I was a bit shy about Mitte and thought: »Come on, not East Berlin again.« I had just left that all behind me. But what was happening there was truly incredible. The club scene was exploding, and so I moved back.

Dann fiel die Mauer und es begann die verrückte Zeit des Umbruchs, ich fand's gut, vorbei war es mit der Isolation. Und dennoch habe ich mich schwergetan, die neu entstehenden Möglichkeiten überhaupt zu sehen. Am Anfang habe ich mit Mitte gefremdelt und dachte: »O nein, nicht schon wieder Ostberlin.« Ich hatte ja gerade alles hinter mir gelassen. Aber es war natürlich Wahnsinn, was dort passierte. Die Clubszene explodierte, und ich zog wieder zurück nach Mitte.

Ein wirklich wichtiger Club war für mich das Panasonic in der Chausseestraße. Da liefen diese ganzen minimalistischen Sachen von Labeln wie Sähkö Recordings oder Profan. Mika Vaino und Ilpo Väisänen gaben dort ihr erstes Berlin-Konzert und nannten sich dann Panasonic. Zuvor war in den Räumlichkeiten Muzek gewesen, eine Art Salon mit Konzerten, Lesungen und Ausstellungen, wo ich Platten auflegte und zusammen mit meinem Bruder Ronald auch ausstellte. »Kunst und Krieg im Muzek« war der Titel unserer Ausstellung, und wir zeigten ein Panoramagemälde und überdimensionale, bewegliche Jahrmarktsfiguren als Soundinstallation. Ebenso wichtig waren das Elektro, der WMF Club und der Friseur in der Mauerstraße. Das Glowing Pickle in der Brunnenstraße fand ich toll. Der ganze Club war aus altem DDR-Elektronikschrott gebaut, den die Humboldt-Uni entsorgt hatte. Namensgeber war ein elektrisches Experiment, bei dem eine saure Gurke mittels 220 Volt zum Leuchten gebracht wurde. Da waren wir oft, ebenso wie im Kunst und Technik am Monbijoupark und im Westberliner Café Anfall.

2012 lud der Berliner Architekt Arno Brandlhuber Ornament und Verbrechen ein, anlässlich seiner Ausstellung Archipel im Neuen Berliner Kunstverein aufzutreten. Mein Bruder und ich entschieden, nur zu zweit, also in der Urbesetzung, und nur neues Material zu spielen. Daraus folgten dann einige andere Konzerte, zum Beispiel eines in Rom in der Villa Massimo zum jährlichen Electronic Campfire des Labels raster-noton, bei dem ich unter dem Namen Robert Lippok auch meine Solosachen release.
Nach all den Jahren wieder mit Ornament und Verbrechen aufzutreten hat nichts Nostalgisches. Es ging uns nicht darum, retromäßig wiederaufzuleben. Die Arbeitsmethoden mit Klang umzugehen, nämlich die Sachen sehr roh zu lassen, unbearbeitet, Elektronisches und Akustisches zu verbinden, Spannung durch Auslassung zu erzeugen, die Stücke nicht mit Ideen zu überladen, das hat für mich immer noch seine Gültigkeit.

A truly important club for me was the Panasonic on Chausseestraße. That's where they were spinning that incredibly minimalistic stuff from labels like Sähkö Recordings or Profan. Mika Vaino and Ilpo Väisänen played their first ever Berlin show there and afterwards named themselves Panasonic. Previously the space had been occupied by Muzek, a kind of salon that held concerts, readings, and exhibitions where I would DJ and, together with my brother Ronald, exhibit too. »Kunst und Krieg im Muzek« (Art and War in Muzek) was the name of our exhibition, and we had made a panorama painting and oversized moving funfair figures as a sound installation. Equally important places were Elektro, WMF Club, and Friseur on Mauerstraße. I thought the Glowing Pickle on Brunnenstraße was cool. The whole club had been constructed out of GDR electronic equipment that Humboldt University had got rid of. The name came from an electrical experiment in which a pickle had lit up with 220 volts. We went there a lot, just like at Kunst und Technik at Monbijoupark and Café Anfall over in West Berlin.
In 2012, the Berlin architect Arno Brandlhuber invited Ornament und Verbrechen to play a concert on the occasion of his exhibition »Archipelago« at the Neue Berliner Kunstverein. My brother and I decided that just the two of us would appear – in other words, the two original members – and that we would only play new material. Out of that came a few other concerts like the one in Rome at Villa Massimo for its annual Electronic Campfire set up by raster-noton, the label I also release solo recordings with under my own name, Robert Lippok.

Performing with Ornament und Verbrechen again after all those years was not an act of nostalgia; it had nothing to do with bringing the project back to life in some retro kind of way. Our way of working with sounds, of primarily leaving things in their really raw, original state, of combining the electronic and the acoustic, of creating tension through leaving things out, of refusing to overload the pieces with ideas, all of these things are still valid to me.

BAMBULE
BAMBULE

Protestbewegungen haben in Berlin eine lange Tradition. Auf Demonstrationen und Kundgebungen wird das Recht auf alternative Lebenskonzepte eingefordert – und notfalls auch in der Konfrontation mit der Staatsmacht verteidigt. Der öffentliche Raum ist Schauplatz dieser Auseinandersetzungen, die auf die Straße getragenen Konflikte lassen Prozesse um Verdrängung und soziale Ungerechtigkeit sichtbar werden.

Protest movements have a long tradition in Berlin. Demonstrations and rallies demand the right to alternative lifestyles and ideologies – and, if need be, defend them in confrontations with the powers that be. These confrontations and conflicts are brought out into the open, onto the streets, rendering visible processes of repression and social inequality.

FOTOS **PHOTOS**
Hendrik Rauch ~ Philipp von Recklinghausen ~ Rolf Zöllner

P*R 1. Mai / May 1st, Kottbusser Straße, 1992

HR Festnahme / Arrest, 1. Mai / May 1st, 1993

P'R ↑ I. Mai / **May Ist**, Görlitzer Park, 1990   P'R ↓ I. Mai / **May Ist**, Skalitzer Straße, 1992

RZ ↑ Lesbisch-Schwule Anti-Papst-Demo / **Anti-Pope-LGBT-demonstration**, 1996   P'R ↓ 1. Mai / **May 1st**, Weserstraße, 1992

HR Christopher Street Day, 1993

RZ Straßenschlacht, KPD/RZ und AG Junge Genossen der PDS/**Street Fight, KPD/RZ and AG Young Comrades of the PDS**, 1995

P**R Kreuzberger Patriotische Demokraten / **Patriotic Democrats** / Realistisches Zentrum / **Realistic Centre** (KPD/RZ), 1991

PTR Demonstration, Oranienstraße, 1992

P'R Demonstration »Wir bleiben alle« / »We're not going anywhere«, Rotes Rathaus, 1992

P°R Räumung / Eviction Wagenburg Engelbecken, 1993

HR Räumung / Eviction Wagenburg Engelbecken, 1993

HR ↑ → Räumung / **Eviction** Wagenburg Engelbecken, 1993

SVEN MARQUARDT

Der Augen Blick
The Blink of an Eye

Ich bin in Ostberlin im Bezirk Pankow aufgewachsen. Meine Kindertage habe ich als sehr wohlbehütet und friedlich in Erinnerung. Meine Eltern haben jung geheiratet, was im Osten durchaus üblich war, und waren erst Anfang zwanzig, als sie mich bekamen. Dass Berlin eine geteilte Stadt war, wurde mir als Kind bewusst, wenn wir Westbesuch von Verwandten oder Freunden hatten. Sie kamen für ein paar Tage und wurden bei uns einquartiert, bis wir sie dann wieder zum Grenzübergang Bornholmer Straße brachten und verabschiedeten. Das war ein komischer Moment, den man schon als Kind empfunden hat – warum kann man selbst eigentlich nicht weg?

Nach meinem sehr frühen Coming-out mit fünfzehn oder sechzehn setzte ich ein paar Jahre später noch einen drauf – ich wurde Punk. Auch wenn die Ost-Berliner Schwulenszene sehr offen und liberal war, gab es dort mindestens genauso viele Biedermeier-Kommoden und Brokat-Tischdecken wie bei meinen Großeltern, und Berufshomos nerven mich bis heute. Ein schwuler Punk?! Dass ich mich auf einmal in einer Doppel-Außenseiter-Rolle befand, war mir anfänglich gar nicht so bewusst. Kurze Zeit darauf wurde die sogenannte Boheme des Prenzlauer Berg mein neues Zuhause. Hier war es augenscheinlich völlig egal, ob ich mit Männern oder Frauen ins Bett ging – oder zwei Katzen zu Hause hatte. Eine neue Identitätssuche begann.

Mein erstes Fotomodell war Jens, dessen zeitlose Schönheit mich ziemlich schnell in ihren Bann zog. Der hätte genauso gut in die 20er Jahre Berlins gepasst; man hätte ihn auch heute zur Fashion Week buchen können. Jens war irgendwann bei einer Freundin in der Winsstraße zum Frühstück eingeladen und hat mich mitgenommen. Da lag ein Foto von ihrem Bruder Robert, das ihre Mutter gemacht hatte. Ein Abzug dieses Bildes hängt mittlerweile bei mir zu Hause, Robert trägt darauf einen weißen Bademantel, hat die Katze seiner Mutter auf dem Arm und schaut über die Schulter in die Kamera. Ich habe damals die Zusammenhänge noch nicht richtig durchschaut, bei diesem Frühstück,

I grew up in East Berlin, in the area of Pankow. I remember my childhood as being very sheltered and peaceful. My parents had married young, which was pretty typical in the East, and were in their early twenties when I was born.

That Berlin was a divided city became clear to me as a child when relatives or friends came to visit from the West. They'd come for a few days and would stay with us until we returned them to the border crossing at Bornholmer Straße and said our goodbyes. That was always a strange moment, even for a child – why couldn't we leave?

After coming out very early at fifteen or sixteen, I added something more to the mix a few years later – I became a punk. Even if the East-Berlin gay scene was really open and liberal, there were as many Biedermeier dressers and chequered tablecloths as at my grandparents' house, and professional homos still get on my nerves today. A gay punk?! That I suddenly found myself occupying a dual outsider role wasn't so clear to me at first. A little while later, the so-called Prenzlauer Berg »Bohème« became my new home. There it didn't matter at all whether I went to bed with men or women – or if I had two cats at home. The search for a new identity began.

My first photo model was Jens, whose timeless beauty cast a spell on me pretty quickly. Though he could've fit right into 1920s Berlin, you could also have booked him at Fashion Week today. At some point Jens was invited to breakfast by a woman he was friends with over on Winsstraße, and he took me with him. She had a photo of her brother Robert lying out that her mother had taken. A copy of this image still hangs in my home today: Robert's wearing a white bathrobe, has his mother's cat on his arm, and is looking over his shoulder into the camera. At that moment I didn't really understand the connections, this breakfast when a whole lot of things would end up changing for me. I had no idea the huge flat belonged to Helga Paris, nor that she was a famous photographer. Those were circles I just wasn't familiar with. At first, it was a world

Sven Marquardt, 1985

bei dem sich für mich eine Menge verändert hat. Ich wusste weder, dass diese riesige Wohnung Helga Paris gehörte, noch, dass sie eine renommierte Fotografin war. Das waren Kreise, die ich von zu Hause nicht kannte. Es war eine Welt, die ich erstmal sehr faszinierend fand. Erst aus heutiger Sicht bin ich froh, mir mit meiner Mutter nicht den Kajalstift geteilt zu haben. Und es ist noch gar nicht lange her, dass ich Helga Paris ein Bild zurückgebracht habe und sie mich zu ihrem Hausaltar führte, um mir voller Stolz die Hochzeitsbilder ihrer Kinder zu präsentieren. Ich sagte »schön«, was sollte ich auch anderes antworten. In mir sah es komplett anders aus, mein Weg blieb ein anderer, bürgerliche Konventionen sind mir bis heute egal.

Der Morgen in der Winsstraße läutete eine neue Zeit ein. Robert und Jens wurden ein Paar, und wir haben dann auch gemeinsam Fotos gemacht. So begann die Freundschaft zwischen Robert und mir.
Er hatte eine besondere und einzigartige Beziehung zu Berlin und wusste so viel über seine Geschichte, über einzelne Häuser, seit wann Läden leerstanden, wer der Fleischermeister gewesen war, der da irgendwann mal gearbeitet hat. Er kannte alle Schleichwege, alle verbotenen Pfade, alle Türen, die nur angelehnt waren und lediglich so aussahen, als wären sie abgeschlossen. Roberts Blick auf die Stadt hat auch meinen Blick geschult. Später haben wir gedacht, vielleicht war das auch unsere Form zu reisen, in so eine vergangene Zeit, weil wir nicht reisen konnten.

I found really fascinating. It's only in retrospect that I'm happy I never shared the kohl pencil with my mother. And it hasn't been all that long since I brought Helga Paris a picture in return, and she led me to her house altar where she proudly began to show me all her children's wedding pictures. I said, »Lovely«, what else. For me, things looked completely different, my path was to be another one, and bourgeois conventions are still irrelevant to me today.

However, that morning on Winsstraße heralded the beginning of a new time for me. Robert and Jens became a couple, and we began to take photos together. And that's how my friendship with Robert began. He had a special, particular relationship with Berlin and knew so much about its history, about specific buildings, how long certain shops had been empty, who the butcher had been who once worked there. He knew all the back ways, all the forbidden paths, all the doors which looked locked but were actually slightly ajar. Robert's gaze on the city trained my own. Later on we both wondered if that hadn't been our way of travelling, travelling into such long-ago times, precisely because of the fact that we weren't allowed to travel.
In 1984 we had our first exhibition together. At that time, his pictures were mainly cityscapes, while mine were all portraits. It was a little bit like the people that I photographed were the actors of those abandoned

SM 1987

Wir haben dann 1984 gemeinsam unsere erste Ausstellung gemacht. Seine Bilder zeigten damals ausschließlich Stadtansichten, während meine Fotos sämtlich
Porträts waren. Es war ein bisschen so, als wären die
Menschen, die ich fotografiert habe, die Darsteller
der verlassenen Orte, die Robert fotografiert hat. Ich
denke, wir haben mit unseren Motiven das Lebensgefühl der 80er Jahre in Ostberlin eingefangen.
Behilflich war uns ganz sicher Roberts Elternhaus, auch
wenn seine Eltern nicht mehr zusammenlebten. Der
Vater als anerkannter Maler, die Mutter als renommierte Fotografin sind mit ganz anderen Leuten umgegangen, Leuten, denen ich ansonsten niemals begegnet
wäre. Das hat uns, glaube ich, ein bisschen geschützt
in unserem Treiben, aber eben auch gefördert. Helga
Paris war auch die Erste, die sich meine Bilder angeschaut hat und mich ermutigt hat, ihr neue Fotos zu
zeigen. Das war für mich eine Motivation weiterzumachen und insgesamt eine sehr wichtige Begegnung.
Als ich Ende der 80er für das Magazin *Sibylle* gearbeitet habe, war das eine Art Ritterschlag. Das Heft war
geprägt von den Fotografenhandschriften von Sibylle
Bergemann, Arno Fischer, Roger Melis sowie Ute und
Werner Mahler. Sibylle Bergemann, mit deren Tochter
Frida ich damals befreundet war, hatte mich der Zeitschrift empfohlen, und ich habe insgesamt sieben oder
acht Serien für sie fotografiert, davon sind aber nur
zwei mit einem Marquardt-Stil behaftet. Den anderen
merkt man den etwas ängstlichen Blickwinkel der

places that Robert shot. I think we really captured the
way people felt in East Berlin in the '80s.
Without a doubt Robert's family was also helpful, even
though his parents no longer lived together. His father
was a well-known painter, his mother a famous photographer, they spent time with a very different group
of people, people who I otherwise would never have
met. And that protected us a bit, I think, but challenged us too. Helga Paris was also the first person to
ever look at my photos and encourage me to keep
showing her new ones. That was a great motivation for
me to keep going and, all in all, an extremely important connection to have.
At the end of the '80s, when I began to work for the
magazine *Sibylle*, knowing her was like a kind of acco-
lade. The magazine had been shaped by photographers like Sibylle Bergemann, Arno Fischer, Roger
Melis, and Ute and Werner Mahler. Sibylle Bergemann,
whose daughter Frida I was friends with at the time,
had recommended the magazine to me and, all in
all, I shot seven or eight series for them; only two of
those are marked with a definite Marquardt-style,
however. In all the others you can detect something of
the editor's rather apprehensive eye. In fact, I wasn't
allowed to visit the editors' offices when the editor-in-
chief was there – I saw her later on and thought, she
might've found me really good. I'm still happy to show
the two series, sometimes a photo from them ends
up in an exhibition when I show things from the '80s.

Redakteure an. Ich durfte auch tatsächlich nicht in die Redaktion, wenn die Chefredakteurin anwesend war – ich habe sie später gesehen und dachte, vielleicht hätte die mich eigentlich ganz gut gefunden. Die zwei Serien zeige ich aber auch heute noch gerne, aus denen landet auch mal ein Bild in einer Ausstellung, wenn ich Sachen aus den 80ern zeige.

Den Fall der Mauer habe ich beinahe verschlafen. Es gab ja keine Telefone, so hat es zu später Stunde bei mir geklopft, und Robert und eine Freundin standen ganz aufgeregt vor meiner Tür und meinten, wir müssten sofort los. Wir sind dann tatsächlich – das totale Klischee – in einen Trabi gestiegen und Richtung Westen gefahren. Da ich vorher schon einmal für eine Dienstreise rüber gedurft hatte, war es für mich nicht mehr ganz so neu. Diese Euphorie war auch ein bisschen beunruhigend, eine Art Ausnahmezustand. Ich finde Tausende von Menschen, die auf einmal losgelassen werden, immer ein bisschen schwierig. Aber natürlich war es auch unfassbar, eigentlich hatte uns aus heutiger Sicht überhaupt nichts Besseres passieren können.
Die neuen Freiheiten lagen für mich erstmal darin, Sachen zu konsumieren. Ich habe mir unendlich viele Klamotten gekauft, das hatte ich ja vorher nicht gekonnt. Ich habe in Bücherläden gesessen und Bildbände nach Hause geschleppt. Irgendwann, Anfang der 90er, bin ich dann in die Clubszene eingetaucht. Und doch gab es in dieser Zeit auch Verluste, einer davon war tatsächlich der Bezug zu meinen Bildern, zum Fotografieren. Es hat immer so ein Aufgeregtsein gegeben, wenn ich fotografiert habe. Etwas, was man nicht wirklich beschreiben kann. Der Moment des auf den Auslöser Drückens und der Moment mit dem Gegenüber, das war irgendwann weg. Ich habe angefangen, darüber nachzudenken, ob ich jetzt noch einen Film einlege oder ob ich eigentlich schon durch bin. Ich habe mit einem Mal so viel nachgedacht. Das war ein Verlust.
Gleichzeitig spürte ich, dass sich für die Fotos, die ich bis zu dem Zeitpunkt gemacht hatte, niemand wirklich interessierte. Man suchte nach einem bestimmten Bild vom DDR-Bürger, nach frustrierten Menschen in einengenden Plattenbauvierteln, die mit runtergezogenen Mundwinkeln und fünfzehn Kisten Bier den Feierabend verbrachten. Das war so das Klischee vom Ostdeutschen. Dem entsprachen die Leute, die ich fotografiert habe, überhaupt nicht, die waren gar nicht einordbar. Ich erinnere mich, dass ich einmal in Hamburg in einer Redaktion war und gefragt wurde, ob die Leute auf meinen Bildern eigentlich ein Drogenproblem hätten oder überhaupt noch am Leben seien. Dabei hatte es ja zu Ostzeiten überhaupt keine Drogen gegeben, außer Alkohol und Zigaretten oder mal irgendwas Mitgebrachtem. Aber die Fotos haben keinen interessiert und mich dann irgendwann auch nicht mehr.
Die Leute um mich herum, die meine Bilder mochten, fanden es bedauerlich, dass ich auf einmal im Schuhladen stand und damit meine Miete verdiente. Ich

I almost slept through the fall of the Wall. There weren't any telephones, so, later on at night, there was someone knocking at my door. Robert and a girlfriend were standing there real excited and saying that we had to go out immediately. And we really did – the total cliché – jumped into a Trabi and drove west. Because I'd already been able to go there for work, it wasn't so totally new for me. That euphoria was also a bit unsettling, a kind of state of emergency; I always find thousands of people suddenly let loose a bit difficult to handle. But it was also incomprehensible, of course; to be honest, from today's point of view, it was the best thing that could have happened to us.
For me, the new freedoms first of all had to do with being able to consume things. I bought myself an insane amount of clothes, that's something I never could do before. I sat in bookstores and then dragged tons of art books home with me. Then at some point at the beginning of the '90s I fell into the club scene. And yet there were casualties too at that point, one of which being my connection to my pictures, to photography. Taking photographs had always produced such a state of excitement in me. It's something you just can't really describe. But that moment of pushing the shutter button, that moment with your subject, somehow that had been lost. I began to think about whether I wanted to load another roll of film or whether I already had enough. All of a sudden, I just started thinking about it too much. And so it was lost.
At the same time, I felt that no one was really interested in the photos that I had taken up until that point anyway. People were looking for a particular image of the GDR citizen, frustrated people, some Plattenbau, people who spent the end of the workday with a frown and fifteen cases of beer. That was the East German cliché. It had nothing to do with the people I'd photographed, nothing at all; they simply did not fit. I remember being at an editorial department in Hamburg and being asked whether the people in my pictures had a drug problem, whether they were even still alive. Keep in mind that, in the GDR, there hadn't been any drugs at all beyond alcohol and cigarettes, or here and there something someone had smuggled in. But the photos didn't interest anyone at all, and, at some point, no longer interested me either.
The people around me who did like my pictures found it sad that all of a sudden I was working in a shoe store in order to pay my rent. I still had some small photo jobs, like shooting lookbooks for Berlin fashion designers and such, but that wasn't too interesting either. At that moment, I found other things exciting, and that's why I didn't see it all as a loss; instead, I felt that in the GDR I had only needed the camera as a way to fulfil unfulfilled desires, desires which I could now explore.

At some point my half-brother Oliver, also known as DJ Jauche, asked me if I'd man the door for a temporary club under the arches of the S-Bahn at Hackescher Markt to make sure that the right people came

hatte noch kleinere Fotojobs, wie für Berliner Mode-designer Lookbooks zu fotografieren, aber das war auch nicht wirklich interessant. Für mich waren zu der Zeit andere Sachen spannend, und deshalb habe ich es in dem Augenblick auch nicht als Verlust emp-funden, sondern hatte den Gedanken, dass ich die Kamera nur in der DDR gebraucht hatte, als Stilmittel unerfüllter Sehnsüchte, und dass ich all diese Sehn-süchte nun ausleben konnte.

Mein Halbbruder Oliver, auch bekannt als DJ Jauche, hat mich irgendwann gefragt, ob ich die Tür für einen temporären Club in den S-Bahn-Bögen am Hackeschen Markt machen will und schauen, dass da die richtigen Leute reinkommen. Es war nicht weit zur Oranienburger Straße, in der auf einmal die Nutten standen. Ganze Kieze wurden neu aufgeteilt und es waren die unter-schiedlichsten Menschen unterwegs. Man hat dann Leuten an der Tür erklärt, dass sie vielleicht besser in irgendeinen Pub gehen oder woanders Cocktails trin-ken sollten, als zu einer Technoveranstaltung zu gehen. Von da aus bin ich, weil das ja nur temporär war, bei Ralph gelandet, dem Betreiber vom Suicide Circus. Das war damals ein kleiner Laden in der Dircksenstraße, im zweiten Hinterhof. Er ist Jahre später an der Revaler Straße nochmal ins Leben gerufen worden und existiert dort auch heute noch. Ralf war der Erste, für den ich regelmäßig die Tür gemacht habe, zunächst immer donnerstags, später kam dann der Samstag hinzu. Wenn sie einen Club zugemacht haben, gab es Nach-folgeläden, und so ging es immer weiter. Ich bin zu der Zeit auch gerne noch selbst feiern gegangen. Nach Feierabend sind wir in die Gogo-Bar weitergezogen, irgendwas war in den 90ern immer noch auf, wo man noch zwei Tage länger machen konnte, wenn man wollte. Zu der Zeit ließ ich mir die ersten Tätowierun-gen und Piercings machen. Ich glaube, dass ich immer wieder Veranstaltern empfohlen wurde, und so bin ich immer irgendwo im nächsten Laden gelandet, um Leute auszuwählen und einzulassen, die zu der Party passten. Ich habe noch zu Ostgut-Zeiten, kurz vor meinem vierzigsten Geburtstag, gedacht, jetzt reicht es eigentlich mit der Tür. Und nun gibt es schon seit vierzehn Jahren das Berghain.

Ich gehe im Berghain ganz gerne hoch auf den Floor und habe erst kürzlich gedacht, es ist eigentlich alles noch wie früher, nur die Darsteller sind ausgewechselt. Ich mag immer noch das Gefühl, das einem da entge-genknallt. Wenn mich das nerven würde, dann wäre ich da nicht mehr.
Auch wenn ich den Türjob immer noch mache, hat sich mein Leben über die Jahre total verändert, da für mich die Fotografie wieder mehr und mehr eine Rolle spielt.

Nach der Schließung des Ostgut hatte ich auf einmal an den Wochenenden total viel Zeit. Ich habe mit Jan, mit dem ich damals an der Tür gearbeitet habe und der heute mein Set- und Ausstellungsbauer ist, Ende der 90er, Anfang der 2000er Jahre Ecken erkundet,

in. It wasn't too far from Oranienburger Straße, which all of a sudden had become filled with prostitutes. Whole neighbourhoods were being rearranged, and the most diverse people were wandering around. You had to explain to people at the door that they might be happier going to a pub or drinking cocktails than going to a techno party.
As that was only temporary, I went on from there to Ralph who runs Suicide Circus. At that point it was just a small space on Dircksenstraße, in the second court-yard. Years later it found a new life on Revaler Straße, which is also where it is today. Ralf was the first person I regularly worked the door, at the beginning only on Thursdays, later on I started working Saturdays too. Whenever one club closed, there were others to go to, and that's how it just kept going. At that time I liked to party afterwards too. Once we'd closed for the night, we'd move on to the old Go Go Bar; in the '90s, some place was always still open where you could keep on going for the next two days if you wanted. That's when I started to get my first tattoos and piercings. I think I just kept getting recommended to other event organisers and so I always ended up at another club, choosing who'd fit in with the party and who wouldn't. Right before my fortieth birthday, still during the times of the old Ostgut techno club, I thought: enough with working the door. And wouldn't you know it, Berghain's been here fourteen years now.

At Berghain, I like to go up to the dance floor, and just recently it struck me that everything's just the same as it was before, it's just that the performers are different. I still like the feeling that hits you there. If that annoyed me, I wouldn't be there anymore.
Even though I'm still standing at the door, over the years my life has completely changed, as photography has begun to play more and more of a role again.

After Ostgut closed, all of a sudden I had a lot of time on the weekends. At the end of the 1990s and the beginning of the 2000s, me and Jan, the guy I used to work the door with and who today builds my sets and exhibitions – would go out to corners of the city that still seemed to be completely untouched, often in Rummelsburg or in Schöneweide. Once again we were on the search for adventures in a Berlin that was slowly beginning to disappear. And Jan inspired me to start taking photos, to start taking photos of him as well. And so at some point I took my camera along and the feeling came back. Today I primarily work concep-tually: I look for a theme and then work together with other creative people to create a visual world. But back then we'd just take off. Jan had two different out-fits and three accessories in his backpack, and that's how we staged our photographs.
I find my photography to be very classical and, as I only work with analogue equipment, using daylight, often a little bit old-fashioned or untimely. But I still take new inspiration for the realization of my image ideas from the here and now.

1987

SM 2009

die uns noch unberührt erschienen, oft in Rummelsburg oder Schöneweide. Wir waren wieder auf Abenteuersuche, in einem Berlin, das langsam verschwand. Und Jan hat mich inspiriert, Fotos zu machen, ihn zu fotografieren. So nahm ich irgendwann meine Kamera mit, und das Gefühl war wieder da. Heute arbeite ich hauptsächlich konzeptionell, suche mir ein Thema und erschaffe gemeinsam mit anderen kreativen Leuten eine Bildwelt. Doch damals sind wir einfach losgelaufen, Jan hatte zwei verschiedene Outfits und drei Accessoires im Rucksack, und so haben wir unsere Bilder inszeniert.

Ich empfinde meine Fotografie als sehr klassisch und dadurch, dass ich nur analog und mit Tageslicht arbeite, oftmals auch als ein wenig altmodisch oder unzeitgemäß. Aber ich entnehme ja dennoch neue Inspirationen für die Umsetzung meiner Bildideen dem Hier und Jetzt.

Durch meine Fotografie bin ich in den letzten Jahren viel unterwegs gewesen, und das Reisen hat auch meinen Blick auf die Stadt verändert. Ich bin schon Anfang der 90er ein bisschen durch Europa gefahren, nach Amsterdam, Paris oder Portugal, aber eher privat. Inzwischen ist es eine optimale Verbindung, an andere Orte eingeladen zu sein mit dem, was man macht und liebt. Ich bin vorher vielleicht auch nicht so viel gereist, weil mir Berlin immer einen Schutz gegeben hat für mein unkonventionelles Leben und Aussehen, ein Stück Sicherheit. An anderen Orten habe ich mich immer gefragt, bestehe ich da auch, mit dem, wie ich bin? Das ist immer noch irgendwie ein Prozess, den ich aber schon viel mehr genieße und in dem ich selbstsicherer geworden bin. Heute reise ich mit meinem Assistenten Hardy gefühlt bis ans andere Ende der Welt. Und es fühlt sich großartig an, diese Augenblicke des Lebens mit jemand anderem zu teilen.

Natürlich bin ich oft nur Zaungast einer anderen Kultur und gehe sehr respektvoll damit um, da ich ja das Lebensgefühl nicht wirklich teile, was da existiert. Aber dann zu erleben, dass zu Ausstellungseröffnungen oder Artist-Talks Leute kommen, viele Flugstunden von Berlin entfernt, die sich dafür interessieren, was man gemacht hat, das ist schon irgendwie ein ganz schönes Gefühl. Das ist natürlich auch so, weil ich in der Clubkultur lebe und das Haus Berghain seit so vielen Jahren in der ganzen Welt wahrgenommen wird. Die Leute interessiert dann auch immer die Geschichte des Clubs, und das ist ja auch völlig o.k., das ist ja auch Teil meiner Geschichte, unserer Geschichte.

Thanks to my photography, over the last number of years I have been able to travel a lot, and travelling has also changed the way I look at the city. I travelled through Europe a little bit in the early '90s, to Amsterdam, Paris, and Portugal, but that was in a private capacity. Now it's great, I can be invited to other places because of what I do and love. Maybe I didn't travel that much before because Berlin always protected my unconventional look and lifestyle, gave me a sense of security. In other places I always asked myself, can I be in this place the way I am? That is still a process in a way, but one I enjoy a lot more and in which I have become a lot more confident. Today my assistant Hardy and I travel all the way to the ends of the earth. And it is such an incredible feeling to be able to share these moments in my life with someone else.

Of course I'm often just an onlooker of another culture, and I do so with the utmost respect, as I often don't really share in the way of life there. But to experience people coming to openings and artist talks, so many hours away from Berlin by plane, just because they're interested in what you've done, that's such an incredible feeling. Naturally, it's also due to the fact that I live within club culture and that Berghain has been recognised throughout the world for so many years now. People are always interested in the history of the club, and that's just fine, that's also a part of my own history, a part of our history.

2008

SM 2013

SM 2011

SM 1987

SM 2011

Ich wurde 1966 in Berlin geboren und bin ab 69 auf der Straße rumgerannt, da war der Krieg erst seit 24 Jahren vorbei, da ist die Wende jetzt schon länger her. Man hat die Einschusslöcher in den Hauswänden noch gesehen, zwischen den Gebäuden klafften riesige Lücken, und die Straßen waren leer. Es gab nur wenige Geschäfte, bei uns in der Heinrich-Roller-Straße waren nur ein Bäcker und ein Fleischer. Ich empfand diese Straßen als wunderschön und gemütlich, zwischen den Steinen wuchs Gras oder Getreide. Vormittags, wenn meine Mutter mit mir durch die Straßen zum Einkaufen ging, war es absolut friedlich und still.

Ich habe schon als Kind gemerkt, dass Musik in mir etwas auslöste, was ich kaum beschreiben konnte. Ein paar Töne schafften es, dass ich ganz traurig wurde oder mich freute. Ich empfand dann eine Sehnsucht, ein Verlangen nach irgendwas, was ich als Kind und als Jugendlicher noch gar nicht beschreiben konnte. Ich hörte ein Lied im Radio, und hinterher war die Welt nicht mehr so, wie sie vorher war. Und das fand ich faszinierend, ich kannte kein anderes Medium, das so auf mich wirkte. Da habe ich mir gedacht, wenn ich selbst Musik mache, komme ich vielleicht hinter dieses Geheimnis, aber ich kann es mir immer noch nicht erklären.

Mein Vater war ein Jazzfan. Mit seinen Freunden ist er in seiner Shell Parka und ganz engen Jeans ins Haus der Jungen Talente zum Jazz gegangen. In viele andere Clubs und Geschäfte wurden sie, wie später auch die Punks, nicht hereingelassen. Dabei gab es in der DDR eine Reihe von Amiga-Platten, die sich dem Jazz gewidmet haben, von Lionel Hampton oder dem Folk Blues Festival, und das war die erste Musik, die ich mir richtig bewusst angehört habe. Ich war als Kind oft krank und konnte dann, wenn alle arbeiten waren, diese Platten auflegen und immer wieder hintereinander hören.

Es waren auch viele Blues-Platten dabei, die Musik war ja mit dem Jazz verwandt. Noch heute, wenn ich guten Blues höre, fühle ich jeden Ton mit. Der Blues ist einfach eine unwahrscheinlich direkte Art, Gefühle zu trans-

I was born in Berlin in 1966, and by '69 I was already beginning to run around on the street. At that point the war had only been over for 24 years; reunification is already longer ago than that now. You could still see the bullet holes in all the walls, there were gaping holes between all the buildings, and the streets were empty. There were only a few shops, around us on Heinrich-Roller-Straße there was only a baker and a butcher. I found those streets to be beautiful and comfortable, grass and grain sprouting between the stones. In the mornings when my mother would take me along with her to do the shopping, there was total peace and quiet.

Already as a child I noticed that music triggered something in me I could barely describe. Just a couple of notes could make me really sad or really happy. I felt a longing for something, a desire for something that as a child and adolescent I just couldn't articulate. I'd hear a song on the radio and afterwards the world was different than it had been before. And I found that fascinating, I couldn't find any other medium that had that kind of effect on me. I thought to myself, well, if I make music myself, maybe I'll be able to figure it out, but I still don't have any idea how to explain it. My father was a jazz fan. He'd go with his friends to gigs at the Haus der Jungen Talente dressed in his Shell parka and tight jeans. A lot of the other clubs and shops wouldn't let them in, just like later on with the punks. At the same time, however, in the GDR there was a series of records put out by Amiga dedicated to jazz, from Lionel Hampton to the American Folk Blues Festival, and that was the first kind of music I consciously listened to. As a child I was often ill and so, when everyone else was at work, I'd put on those records and listen to them over and over again. There were a lot of blues records around too, the music being, of course, a close relative of jazz. Even today, whenever I hear good blues, I feel every note. The blues is simply an incredibly direct way of transmitting emotion. Take people like John Lee Hooker, people who often just play a single note, they make me feel

MW Flake, 2014

portieren. Gerade Leute wie John Lee Hooker, die oft nur auf einem einzigen Ton spielen, lösen bei mir unheimlich viel aus. Das war auch schon als Kind so, ich brauchte dafür keine Lebenserfahrung, die Musik konnte mir das für mich übersetzen.

Über den Blues bin ich letztendlich auch zu Feeling B gekommen. Ich habe für mich alleine Musik gemacht und mir dazu deutsche Texte ausgedacht. Als in der Turnhalle der Schule meines Bruders ein Konzert statt-fand, habe ich mich dort angemeldet und meine Titel gespielt, die weder Blues noch Punk waren, sondern irgendwo dazwischen lagen. Das Konzert war desas-trös, trotzdem ist der Trommler, der dort bei mir mit-gespielt hat, auf mich zurückgekommen, als sie eine Band gegründet haben. Das war dann Feeling B. Aber das war erst zwei Jahre später, und in diesen zwei Jahren habe ich in einer Kirchen-Blues-Band gespielt, einfach weil die mich genommen haben. Es war mir sogar egal, dass sie christliche Texte sangen, ich dachte, Hauptsache, ich kann mitspielen. Bei Feeling B ging es mir ähnlich. Ich hätte mich natürlich gefreut, wenn das eine Blues-Band gewesen wäre, aber im Nachhinein war es sehr schön, dass das eine New-Wave- oder Punk-Band war. Dadurch konnte ich auch was Neues kennenlernen, sonst würde ich jetzt wahrscheinlich immer noch Blues spielen.

Wir hätten uns selber nie als Punk-Band bezeichnet und eiferten eher Bands wie Ideal und Trio nach, nur für die Außenstehenden, die nichts von Punk verstan-den, waren wir eine Punk-Band. Für meine Oma waren ja auch die Stones und AC/DC einfach Hottentotten-musik. Und für die Punks waren wir eher eine Faschings-band mit Kindergartenmusik. Wir haben natürlich

so much. I was already like that as a kid, I didn't need any life experience; music could translate all of that for me.

It was through the blues that I ended up coming to Feeling B. I had already begun to make music on my own with German lyrics. At one point there was a concert in the gym of my brother's school, I signed up and played my songs, which weren't really blues or punk but somewhere in between. The concert was a disaster. Nevertheless, the drummer who'd played with me came back to find me when he was forming a band. And that band was Feeling B. However, that would only happen two years later, and in the mean-time I played in a church blues band, mainly because they took me. In the end, it didn't matter to me that they sang Christian songs, the main thing was getting to play. With Feeling B it was the same. Of course, I'd have been happy if they were a blues band, but, in retrospect, it was great that they were a New Wave or punk band. That way at least I was able to learn some-thing new, otherwise I'd probably still be playing the blues.

We never called ourselves a punk band though, we tried to emulate bands like Ideal and Trio; it was just for those outside it all, those who didn't know a thing about punk, that we were a punk band. I mean, to my grandmother the Stones and AC/DC were just jungle music. And to the punks we were more of a carnival band playing kids' music. Of course we listened to punk music, we really liked the Dead Kennedys and even tried to come up with some similar-sounding songs, but that already required a little more musical dexterity than we actually had.

109

MW Flake, 2014

auch Punk gehört, die Dead Kennedys fanden wir extrem gut, und wir haben auch versucht, Titel zu machen, die so ähnlich klangen, aber dazu waren wir schon handwerklich nicht in der Lage.

Wir haben eine Einstufung gemacht, die jede Band machen musste, um offiziell anerkannt zu werden und in den Clubs spielen zu dürfen. Wir haben gleich eine Sonderstufe bekommen, weil wir Glück hatten und vor uns vier recht langweilige Bands gespielt hatten. Da war unser Programm dann sehr erfrischend, auch wenn wir es textlich und musikalisch ein bisschen abgemildert hatten, damit wir keinen Anstoß erregen. Wir wussten ja, dass wir auf den Dörfern dann wieder das normale Programm spielen können. Und so machten wir es dann auch.

Die Sonderstufe war die höchste Einstufung für Amateurmusiker, danach kamen dann schon die Profis wie die Puhdys und Karat oder so. Wir bekamen sogar eine Sonderstufe mit Konzertberechtigung; das erlaubte uns, das Programm nur mit eigenen Liedern zu bestreiten. Von anderen Bands wurde verlangt, dass sie auch internationale Titel nachspielen. Wir durften spielen, was wir wollten. Das war unser Glück, denn wir konnten auch nichts nachspielen. Wir haben zwar manchmal versucht, unser Programm zu strecken, indem wir Lieder wie »Rebel Yell« von Billy Idol und »Sweet Little Sixteen« von Chuck Berry eingeübt haben, aber das fiel uns unheimlich schwer und hat bei den Fans auch keinen Anklang gefunden. Zudem konnten wir die Texte nicht verstehen, wir haben versucht, sie von der Kassette oder Platte abzuhören. Dabei kamen dann Texte ohne Sinn, mit lautmalerisch nachgeformten Worten heraus. Die Musik klang nicht besser.

We went through the evaluation that every band had to undergo in order to be officially recognised and allowed to play clubs. Because we were lucky enough to play after four really boring bands, we immediately got a special permit. Our set was pretty refreshing, even though we had toned it down a bit lyrically and musically so as not to upset anyone. We knew that afterwards we'd be able to get back to playing our normal set in all the villages. And that's just what we did.

This special status was the highest ranking you could get as an amateur musician, after that you were in the big leagues with real professionals like the Puhdys and Karat or whoever. We even received a special permit with permission to give concerts, which allowed us to come up with a set songs that were entirely our own. Other bands were expected to play covers; we were allowed to play what we wanted. And that was a good thing because we didn't know any covers. We'd tried to lengthen our set a bit with songs like »Rebel Yell« from Billy Idol or »Sweet Little Sixteen« by Chuck Berry, but that was really tough for us, and it didn't particularly resonate with our fans either. On top of it, we couldn't understand the lyrics, we just tried to figure them out from listening to the cassette or the vinyl. As a result, the lyrics were completely meaningless, just a sort of reconstructed onomatopoeic series of words. And the music didn't sound a whole lot better.

By 1987, we realised that something was starting to change in the GDR. All of a sudden we were being invited to play big shows, we were allowed to play a FDJ youth-movement meeting and were even invited

Wir haben schon ab 1987 gemerkt, dass sich in der DDR was ändert. Wir wurden auf einmal zu großen Veranstaltungen eingeladen, wir haben bei FDJ-Treffen spielen dürfen und sind sogar in das große Kulturhaus in Erfurt eingeladen worden, was uns davor verschlossen geblieben war. Immer öfter kamen die sogenannten »anderen Bands« dazu, und die Veranstaltungen waren gar nicht mehr so steif wie früher. Es fehlte zunehmend der Pflichtanteil von deutschen Texten, es wurden immer mehr Bands, die nur auf Englisch gesungen und auch bessere und frischere Musik gemacht haben als die typischen Ostbands.

Und es wurde immer mehr erlaubt. Wir durften eine LP aufnehmen, womit wir nie gerechnet hätten. LPs waren in meinen Augen etwas für Schlagerstars. Manfred Krug hat im Osten LPs aufgenommen. Oder Karat. Letztendlich wurde uns sogar angeboten, in Westberlin zu spielen. Wir hatten einen Stasimann dabei – offiziell unser Manager. Der hat dann in Westberlin gesagt: »Ihr müsst jetzt nicht einsteigen, ihr könnt auch hierbleiben.« Und wir: »Nee, nee, wir wollen ins Bett.« Punkt Mitternacht waren wir alle wieder im Osten. Wir gingen zu Kirchenveranstaltungen und auf Blues-Messen, wo sehr offen und frei gesprochen wurde, und die sogenannte Wende, die Demonstrationen, war für uns nur eine logische Weiterentwicklung der zunehmenden Freiheiten. Wir haben mit unseren Bands einfach weitergemacht und uns gefreut, dass auf einmal unsere Freunde aus dem Westen wieder in die DDR kamen, um das alles mitzuerleben. Mit denen haben wir gemeinsam Musik gemacht, haben uns Instrumente mitbringen lassen und Konzerte organisiert. Als dann die Mauer fiel, war alles völlig offen, und wir waren eigentlich absolut glücklich, alles war noch besser gekommen, als wir uns gewünscht hatten, und alles war schön.

Aber ab der Wiedervereinigung ging es bergab. Das ging in eine Richtung, die ich und die Leute, die ich kenne, nicht gewollt hatten. Ich war richtig geschockt, als bei der Wahl auf einmal die »Allianz für Deutschland« die stärkste Partei war. Ich habe gedacht, ich spinne. Ich wäre nie auf die Idee gekommen, dass Leute so etwas wählen würden. Für mich war die Situation von Herbst 89 bis Herbst 90 die Idealvorstellung von einem Land. Ob das jetzt wirtschaftlich alles so funktioniert hätte, das kann ich nicht beurteilen, aber vom Lebensgefühl her war es ideal. Ich weiß gar nicht mehr, wer das Land zu dieser Zeit regiert hat, aber das war mir eigentlich auch völlig egal. Das war es im Osten schon. Honecker war der Mann mit dem Hut, der diese seltsame Sprache sprach, dieses Honeckern. Ernst genommen hat den keiner, den ich kenne, der war eher eine Witzfigur. Ich habe auch nicht den Eindruck gehabt, dass die DDR eine ernst gemeinte Politik verfolgt hat. So kam es mir auch in der Wendezeit vor. Erst als BRD-Bürger habe ich gemerkt, dass manche Gesetze auch für mich gelten, und mich zum ersten Mal regiert gefühlt.

Bis dahin habe ich einfach mein Zeug gemacht, und was da rundum war, hat mich nie in irgendeiner Form

to the Kulturhaus in Erfurt, which had previously always been closed to us. More and more frequently fellow so-called »other bands« would play with us, and so the shows became a lot less stiff than they had been. People were no longer being required to sing in German, more bands were only singing in English and playing better and fresher music than all the typical old East German bands.

And more and more things were allowed. We were allowed to record an LP, which was something we had never counted on at all. In my eyes, LPs were something for old crooners and pop stars. Manfred Krug had recorded some albums in the East. Or Karat. At a certain point, we were even offered a gig in West Berlin. We had a Stasi guy with us – officially our manager. In West Berlin he said to us: »You don't have to get back in the van, you can stay over here.« And we said: »No, no, we want to go to bed.« At midnight on the dot we were all back in the East.

We went to church events and blues masses where people spoke their minds quite freely and out in the open, and the demonstrations, the so-called turning point, for us that was just a logical development of the all growing freedoms. We simply continued to play with our bands and were happy that all of a sudden our friends from the West were coming over to the GDR to be a part of it all. We played music with those guys, had them bring us instruments, and organised concerts. By the time the Wall came down, everything was totally open and we were happy; everything had happened better than we could have ever imagined and it was beautiful. But after reunification, things began to go downhill. Things went in a direction that me and the people I knew would never have wanted it to. I was really shocked when suddenly the »Allianz für Deutschland« became the most powerful party in the elections. I thought I'd gone mad. I just couldn't get my head around how people could vote for something like that. For me the country's situation from autumn 1989 to autumn 1990 was ideal. Now, I can't say whether it all would have worked out economically, but the attitude was really ideal. I don't even remember who was running the country at that moment, but that didn't matter to me at all. It had already been like that for me in the East: Honecker was the guy with the hat who spoke that strange language of his, that »Honeckern«. No one I knew took him seriously, he was more of a joke. I also didn't have the feeling that the GDR ever really followed a serious line of politics. And that's how it appeared to me around the time of reunification too. Only when I became a citizen of the BRD did I notice that some laws applied to me as well, and for the first time in my life I felt ruled.

Up until then, I'd just done my own thing, and whatever was going on around me didn't affect me at all, positively or negatively. There also was no way they could control me, because I didn't want anything from the state; I think you can only be disappointed when you want something concrete. But seeing as I didn't want anything, I didn't butt up against any borders.

tangiert, weder im Positiven noch im Negativen. Es gab auch keinen Punkt, an dem sie mich hätten gängeln können, denn ich wollte ja nichts vom Staat. Ich glaube, nur wenn man konkret etwas will, kann man enttäuscht werden. Aber da ich nichts wollte, bin ich auch an keine Grenze gestoßen.

Wir hatten das Glück, dass wir so spät geboren sind. Die, die für ihre Musik in den Knast gegangen sind, waren die Bands der ersten Generation. Erst Renft und später Namenlos, fünf Jahre vor Feeling B. Die haben im Prinzip die Kämpfe für uns ausgefochten.

Nach dem Fall der Mauer kam innerhalb weniger Tage der ganze Kapitalismus mit all seinen Facetten über uns gerollt, so dass wir gar nicht mehr wussten, was wir zuerst machen sollten. Man hat versucht, sich einen Job oder ein Beschäftigungsfeld zu suchen, und dabei haben wir natürlich alle auch sehr viel ausprobiert, was meistens komplett schiefging. Zu mir kamen Zeitungsverkäufer, die haben mir Abonnements aufgeschwatzt mit den Worten: »Die kannst du gleich wieder abbestellen, die musst du nicht bezahlen.« Ein paar Monate später hatte ich einen Gerichtsbescheid über tausend Mark, die ich dann nachzahlen musste, mit Pfändungsbefehl und so.

Wir mussten erstmal in die ganzen Fallen tappen und uns da wieder rauskämpfen, damit hatten wir rund um die Uhr zu tun. Jeder, der zu uns ins Haus kam, hat auch was gekriegt, weil wir uns so gefreut haben, dass mal jemand kommt und sich um uns kümmert. Es war wirklich so, dass wir jeden Scheiß blind unterschrieben haben, und das fiel uns natürlich alles auf die Füße. Jeder hatte eine Geschäftsidee, vom Autohandel bis zum Ausräumen von Schulen und Theatern. Ein Freund hat einen Bockwurstwagen gehabt und ist damit fast Millionär geworden, ich weiß nicht, warum er aufgehört hat. Viele der Unternehmungen waren sehr lustig und sehr aufregend, aber geblieben ist davon eigentlich nichts.

Wenn wir in den Clubs oder besetzten Häusern waren, hatten wir oft Angst vor Neonazis. Wir hatten schon eine richtige Routine: Es gab eine Faschowache, die immer geguckt hat, ob sie eine Gruppe Skinheads sehen, und wenn einer »Faschoalarm« brüllte, schoben wir die Mülltonnen vor die Tür. Wir haben immer gehofft, dass es uns nicht erwischt. Es ging im Großen und Ganzen auch gut, aber manchmal sind auf dem Dorf die Punkkonzerte überfallen worden. Und das wurde dann echt hart. Die Nazis waren uns gegenüber immer im Vorteil, weil sie so eine Aggressionsbereitschaft hatten und sich prügeln wollten. Wenn zwanzig Mann reinkommen, die sich prügeln wollen, leisten zweihundert Mann, die nur Bier trinken wollen, keinen merkbaren Widerstand. Dann konnte man nur hoffen, dass sie einem nicht die Zähne rausschlagen. Das hat uns auch den Spaß am abendlichen Ausgehen genommen, denn wir waren ja optisch eindeutig als Nicht-Nazis erkennbar. Wenn sie einen von uns hatten, gab es nicht viel, was einen retten konnte.

We were lucky to've been born so late. The people who went to jail for their music were the bands of the first generation: first Renft and then Namenlos, five years before Feeling B. They were really the ones who fought the fight for us.

After the fall of the Wall, capitalism in all its glory came steamrolling over us in just a few days flat, and we no longer had any idea what we were supposed to do. Everybody was trying to get a job or find a particular line of work, and naturally we all tried a lot of things, most of which went terribly. Newspaper salesmen would come to me saying: »You can cancel at any time, you don't have to pay a thing.« A few months later there I was with a court order to pay over a thousand marks, distress warrant and all.

First we had to fall into all the traps, and then fight our way back out; it kept us busy day and night. And every person who came to visit was given something, because we were just so happy that people were coming and paying attention to us in the first place. That's really how it was, we just blindly signed every shitty piece of paper put in front of us, which of course came back to haunt us.

Everyone had an idea, from selling cars to cleaning schools or theatres. A friend of mine had a sausage wagon and almost became a millionaire. I have no idea why he gave it up. A lot of the ventures were really funny and pretty exciting, but nothing really remains of them.

When we went to clubs or squats, we were often afraid of running into neo-Nazis. We already had a routine: There was always someone on the lookout for groups of skinheads. If someone yelled »Fascist alert!« we'd shove all the garbage bins in front of the door, hoping we wouldn't get caught. For the most part, everything went well, but sometimes they would attack punk shows off in tiny towns. And things would get really rough. The Nazis were always at an advantage because they were constantly ready to explode and looking to fight. When twenty guys like that come in and encounter two hundred guys who are just there to drink beer, there isn't going to be a whole lot of resistance. You just hope you don't get your teeth knocked out. That whole scene took the fun out of going out at night, as we were physically quite clearly recognisable as anti-fascists. If they got hold of one of us, there wasn't much you could do to save yourself.

In the early '90s to us the German music scene looked pretty bad. Bands like H-Blockx and the Guano Apes were starting to make modern German music, but other than that there wasn't anything we really liked: Lindenberg, Westernhagen, Grönemeyer? On top of that we'd noticed that Feeling B had lost its primary motivation, which was pushing back against sadness with fun. Almost all of our friends were in the same boat. They'd managed to save their bands through reunification, but then noticed their reason

In den frühen 90er Jahren sah es unserer Meinung nach in der deutschen Musiklandschaft recht mau aus. Bands wie die H-Blockx und die Guano Apes fingen an, modernere deutsche Musik zu machen, aber sonst gab es nichts, was uns richtig gefallen hätte. Lindenberg, Westernhagen, Grönemeyer?

Wir haben außerdem gemerkt, dass wir als Feeling B unsere Hauptmotivation, mit Spaß gegen die Tristesse anzutreten, verloren hatten. Fast allen unseren Freunden ging es ähnlich. Sie haben ihre Bands noch gerade so durch die Wende gerettet, dann aber auch gemerkt, dass ihnen die Existenzberechtigung fehlte, die Substanz, um weiter Musik zu machen.

Ein paar Leute, darunter auch zwei Musiker von Feeling B, haben ein Projekt gegründet, um neuere Musik zu machen. Als ich etwas später dazustieß, war nur das Lied »Rammstein« auf Deutsch. Wir haben in der Kneipe gesessen und uns die Textzeilen dafür gemeinsam ausgedacht. Die anderen Lieder waren ganz normale Rocklieder auf Englisch. Das empfand ich persönlich noch als zu normal. Wir haben dann versucht, nur noch deutsche Texte zu machen, und dadurch hat sich ein eigenes Gesicht der Band entwickelt. Da wussten wir noch nicht, dass wir mal auf Tour gehen würden, sondern wir haben uns einfach darüber gefreut, uns zu treffen und Musik zu machen. Endlich gefielen mir die Lieder mal wieder richtig gut.

Rammstein wurde später recht erfolgreich, wenn auch eher im Ausland. Ich kann das verstehen, mir gefiel als Deutschem in meiner Kindheit und Jugend auch englische Musik wesentlich besser als deutsche, weil ich den Gesang wie ein Instrument wahrgenommen habe und er für mich dadurch eine Einheit mit der Musik gebildet hat. Bei deutscher Musik habe ich auf den Text gehört, dann trat die Musik komplett in den Hintergrund. Im Ausland freuen sie sich wohl auch, wenn sie etwas hören, was sie so noch nicht kennen, nur wenige Menschen singen auf diese Art wie wir deutsch. In Deutschland ist man da belasteter, weil man sich da zu oft am Text festbeißt. Oder man hält sich an irgendwelchen Attributen wie dem Feuer oder der tiefen Stimme auf, so dass man gar nicht mehr das große Ganze sieht.

Immer wieder, wenn ich von einer Tour nach Berlin zurückkomme, stelle ich fest, wie sehr ich die Stadt mag. Berlin ist völlig anders als andere Großstädte wie Paris, London oder New York. Berlin ist aus vielen kleinen Dörfern zusammengesetzt, die so gut wie nichts miteinander zu tun haben. Berlin ist auch nicht so voll. Ich fahre mit dem Auto blitzschnell durch die ganze Stadt, hier gibt es keine großen Staus. Ein weiterer Vorteil ist, dass die Berliner sehr gelassen sind und sich sehr wenig einmischen und gegenseitig bevormunden, sondern jeden so lassen, wie er ist.

Ich fühle mich dadurch in Berlin völlig frei und locker, hier komme ich zum Luftholen. Alles ist ganz normal, ganz einfach und hässlich, und selbst die Unfreundlichkeit der Taxifahrer würde ich vermissen. Wenn so ein schlechtgelaunter Typ mich schon am Flughafen anschnauzt, weil ich in der falschen Schlange gestanden habe, dann weiß ich, jetzt bin ich wieder da.

for being was missing, that headspring they needed in order to keep making music. That's when a few people, two musicians from Feeling B among them, started a new musical project. When I came on board a little later, »Rammstein« was the only song that was in German. We were sitting around in a bar and came up with the lyrics together. The other songs were just typical rock songs in English. I personally found that to be too normal. So then we tried writing only German lyrics and, in doing so, the band developed its own identity. At that point we didn't know that we'd eventually go on tour, we were just happy to get to meet up and play music together. Eventually, I really liked the songs. Rammstein later became really successful, though more outside Germany. I can understand that; as a German kid, I liked English music much more than German music because I appreciated the voice as an instrument and, as such, it was kind of on par with the music. With German music I always paid attention to the lyrics first, and the music just completely blended into the background. Outside of Germany, people really like hearing something they're unfamiliar with, only a few people sing the way we do in German. In Germany it's a bit more loaded because too often people get bogged down with the lyrics. Or they get stuck on one or two things like the pyrotechnics or the deep voice, and that way they end up missing the whole picture.

Whenever I come back to Berlin from being on tour, I realise how much I like the city. Berlin is just completely different from other big cities like Paris, London, or New York. Berlin was created by putting together a lot of little villages that basically have nothing to do with one another. Berlin isn't too crowded either. I can drive my car through the whole city in a second; there aren't all those terrible traffic jams. Another upside is that Berliners are laid back, they don't get in other people's business or patronise them, they leave everyone alone to be who they are.

As a result, I feel completely free and relaxed here; I come here to catch my breath. Everything's just totally normal, straightforward, and ugly. I'd even miss the rude taxi drivers. When a guy at the airport starts barking at me just because I'm standing in the wrong line, I know I'm home.

ÜBER DEM REGENBOGEN

OVER THE RAINBOW

Die 90er Jahre in Berlin etablieren mit Techno eine neue Form der Feierkultur. Es geht um Lust, Freude und Rausch. Der Reichtum an Raum befördert das neue Lebensgefühl des »Alles ist möglich«, es entstehen legendäre Orte und Veranstaltungen wie der Tresor oder die Loveparade. Jeder ist willkommen, und der Selbstdarstellung sind keine Grenzen gesetzt. Die Musik spielt immer weiter.

In the '90s, Berlin and techno came together to create a new form of party culture, one that was about lust, happiness, and inebriation. The city's wealth of space promoted a new sense that »everything is possible«, and from this atmosphere grew legendary spaces like Tresor and events like the Love Parade. Everyone was welcome; there were no limits to self-expression. And the music continues to play on.

FOTOS **PHOTOS**
Ben de Biel

B&B Club Tresor, 2015

B d B Club Maria am Ostbahnhof, 2010

B&B Peaches, 2010

BdB T. Raumschmiere & Band, 2010

B d B Club Ritter Butzke, 2011

B d B Meteo, Club Maria am Ostbahnhof, 2011

BdB Neukölln, 2011

BdB Club Maria am Ostbahnhof, 2009

BdB Club Maria am Ostbahnhof, 2011

BdB Club Maria am Ostbahnhof, 2010

BdB Club Maria am Ostbahnhof, 2011

BdB Arena Backstage, 2010

B d B Peaches, Club Maria am Ostbahnhof, 2010

B d B Modeselektor, Stadtbad Oderberger Straße, 2012

B d B Club Maria am Ostbahnhof, 2011

B﹍B Club Ritter Butzke, 2014

B﹍B T. Raumschmiere, Club Maria am Ostbahnhof, 2011

B↓B Squarepusher, Astra Kulturhaus, 2012

B♂B Jim Avignon, Neon Angin, HAU, 2013

BdB Claire, Club Josef, 2010

B d B ← Lemmy, White Trash, 2010 ↑ Violetta, 2009

DIMITRI HEGEMANN

Die Magie der Räume
The Magic of Spaces

Ich bin 1978 nach Berlin gekommen, weil mir ein Buch mit dem Titel *Sachlexikon Rockmusik* in die Hände gefallen war. Im Anhang stand, der Autor Tibor Kneif sei der einzige Professor in Westeuropa, der in der klassischen Musikwissenschaft über Punk und andere moderne Formen der Populärmusik spräche. Das fand ich spannend, und so wechselte ich von Münster, wo ich klassische Musikwissenschaften studiert habe, an die Freie Universität Berlin – und war mittendrin. Mitte der 80er Jahre haben wir in Kreuzberg, in einem alten Laden in der Wrangelstraße 95, das Fischbüro gegründet. Das Fischbüro war eine Art dadaistisch angehauchter Versammlungsort, in dem auf humorvolle Art Konsumenten zu Produzenten geformt werden sollten. Wir haben ein Rednerpult gebaut und immer samstags die sogenannten Fortbildungskurse angeboten. Die Idee war, jedem seine zwei Minuten Ruhm zu geben, und ich habe versucht, auch Leute, für die das ungewohnt war, dazu zu bewegen, auf die Bühne zu gehen. Und das klappte auch.
Manchmal hatten wir hohen Besuch im Fischbüro, unter anderem kam Timothy Leary vorbei und auch Robert Anton Wilson. Zweiterer nahm an einer wichtigen Untersuchung des Fischbüros teil, die hieß »Seven Seconds for Eternity«, also »Sieben Sekunden für die Ewigkeit«, und es ging darum, dass wir ein Dokument, ein Video, für die Nachwelt erstellen wollten, in dem wir den Menschen auf Terra im Jahre 3000 mitteilen wollten, was uns im Jahre 1986 so bewegt hat. Diese Forschung lief so ab, dass der Befragte in einem Kinderkasperletheater saß, hinter ihm eine große Uhr, die die sieben Sekunden antickte. Es musste also schnell gehen. Herr Wilson hat das in drei Sekunden erledigt, er sagte: »Doubt everything, question authorities, think for yourself, and find your own light.«
Es gab auch Sondervorträge, zum Beispiel die sensationellen Vorbereitungskurse für den Besuch von Außerirdischen von TV Victor, einem Stammgast, der sehr viel Fernsehen schaute. Er sagte, er hätte eine Information zugespielt bekommen, dass demnächst ein Raumschiff landen würde, direkt am Oranienplatz, und es wären genau 46 Plätze frei – aber nur One Way. Das UFO war

I came to Berlin in 1978, after having a book by the name of *A Dictionary of Rock Music* fall into my hands. The appendix said that the author, Tibor Kneif, was the only professor in Western Europe talking about punk and other modern forms of pop music within the context of classical musicology. That was exciting, so I switched universities from Münster, where I'd been studying classical musicology, to the Free University of Berlin – and found myself right in the thick of things. In the middle of the '80s, we founded the Fischbüro (Fish Bureau) in an old shop located at Wrangelstraße 95 in Kreuzberg. The Fischbüro was a place with a touch of Dada about it, a place where, in a humorous way, consumers were supposed to be turned into producers. We built a little stage with a lectern, and on Saturdays we'd offer our so-called training courses. The idea was to give everyone their two minutes of fame, and I tried to get people who weren't used to being on stage to get up there anyway. And it worked too.
Sometimes important people even came by. Timothy Leary was there once, as was Robert Anton Wilson. The latter took part in an important Fischbüro project called »Seven Seconds for Eternity«, which had to do with creating a document for posterity, a video telling people on Earth in the year 3000 what really moved us back in 1986. It went like this: the respondent sat down in a little hand-puppet theatre, with a big clock ticking down the seven seconds behind them. In other words, it had to go pretty quickly. Mr Wilson nailed it in three seconds flat when he said: »Doubt everything, question authorities, think for yourself, and find your own light.«
There were special lectures as well. One of the regulars, for instance, TV Viktor, who watched an awful lot of TV, gave a sensational prep course for the arrival of extra-terrestrials. He said that he'd been slipped information about how a spaceship would be landing right at Oranienplatz and that there were exactly 46 free places – but only one way. It was booked out immediately and, to be honest, I never saw any of the passengers again. Only two women cancelled at the

Dimitri Hegemann, 2014

sofort ausgebucht, und ich habe die Passagiere auch tatsächlich nie wiedergesehen. Nur zwei Frauen sagten vorher ab: Bei der einen waren die Eltern nicht einverstanden, und die andere war schwanger.

Das Fischbüro war auf Frau Fisch angemeldet, die es natürlich nicht gab. Das hat uns oft gerettet, denn Frau Fisch war nie zu fassen, auch nicht für die gelben oder roten Briefe. Und so haben wir überlebt. Es war eine intensive Zeit, sie dauerte nur sechs oder sieben Monate in der Wrangelstraße 95, dann sind wir in die Köpenicker Straße 6 umgezogen und haben die Forschung dort fortgesetzt.

Das Fischbüro wurde sehr populär, und daraus entsprang die Idee, etwas Ähnliches auch für die Allgemeinheit zu eröffnen. So haben wir in Schöneberg eine Eckkneipe angemietet, die nannten wir Fischlabor. Das war zu der Zeit, als wir das Space Beer erfunden haben. Space Beer wurde mit kosmischen Substanzen gebraut und garantierte Schwerelosigkeit. Nach dem Verzehr von zwanzig Flaschen – was ja kein Thema war – kam es häufiger vor, dass der Trinker am nächsten Morgen von der Putzfrau von der Decke gekratzt wurde, weil er abgehoben hatte.

Wir hatten damals auch eine Partnervermittlung eingerichtet, es gab ja noch kein Internet, und so übernahm das Fischbüro auch diese Aufgabe. Auch ich war einmal Kandidat und lernte eine sehr nette Frau kennen und wir blieben zusammen. Es war wie in einem Märchen. Sie gründete später mit Freundinnen eine Band, die sehr bekannt wurde, die Lassie Singers.

last minute: one whose parents weren't so enthusiastic about the project, and the other was pregnant. The Fischbüro was registered to a Frau Fisch, who naturally didn't exist. And this ended up saving us a bunch of times because no one could ever manage to catch her, not even with warning letters. And that's how we managed to survive. It was an intense time, it lasted just six or seven months, then we moved to a place at Köpenicker Straße 6 and went on with our research.

The Fischbüro became pretty popular, and this gave us the idea of opening up something similar for the general public. So we rented a corner bar in Schöneberg, and that became the Fischlabor. This was around the same time we invented Space Beer: Brewed with only the best cosmic substances, weightlessness guaranteed. In the morning, the cleaning lady not all that infrequently would have to scratch folks down from the ceiling who the night before had enjoyed twenty bottles or so – pretty standard fare at the time. We'd also set up a dating service; the Internet didn't exist back then, and so the Fischbüro took over that, too. I was even a candidate once, got to know a really cool woman, and we ended up together. Shortly thereafter she formed a band that became pretty well known, the Lassie Singers.

The band got its start in the Fischbüro with the two girls sitting inside a big cardboard box. A jukebox. When you stepped on a pedal that was connected to an old rotary iron, the roller would turn and you could see

Club Tresor, 1997

Die ersten Stunden der Lassie Singers fanden im Fisch-büro in einem großen Pappkarton statt. Dort saßen die beiden Mädchen drin. Eine Art Jukebox: Wenn man ein Pedal betätigte, das mit einer ausrangierten Man-gelrolle verbunden war, konnte man sehen, was sie spielen konnte. Dann musste man über einen Trichter eine Mark einwerfen und konnte z. B. auf den Song »Ein Mädchen aus Piräus« drücken, und dann donnerte diese Box los, live, lebendig. Man hat sie auch hin und wieder geärgert, indem man sich das Lied sechs-mal hintereinander angehört hat. Aber das war die Geburtsstunde der berühmten Lassie Singers. So war das Fischbüro für viele ein Sprungbrett in die große Karriere.

Das Fischbüro musste irgendwann wegen großer For-schungsaufträge im Live-Bereich den Betrieb einstel-len – außerdem wurde uns gekündigt. Wir hatten im Fischbüro 2 nämlich eine Luke entdeckt, und die führte uns in einen Keller unter den Innenhof, der war ca. 100 qm groß und nicht sehr hoch. Parallel kamen zu der Zeit mit Acid House neue Klänge aus England und aus Chicago. Wir bauten in diesem Keller ein Soundsystem auf und nannten den Ort »Ufo«. Man ging erst ins Fisch-büro und von dort dann in den Keller, ins Ufo. Ich erin-nere mich noch gut, als 1989, noch vor dem Mauerfall, die erste Loveparade stattfand. Nach der Parade hat man sich im Ufo getroffen und weitergefeiert, es war eine sehr kleine Gemeinde, so fünfzig Leute vielleicht. Auf Dauer wurde es den Nachbarn aber zu laut, ver-ständlich, und so fand das Abenteuer mit dem Ufo ein Ende.

what they could play. Then you threw a Deutschmark into a funnel and, for example, press a button for the song »Ein Mädchen aus Piräus«, and suddenly the box would roar into life, live, right there. Now and again it'd get on your nerves because you'd heard the song six times in a row. But that was the beginning of the famous Lassie Singers. And so the Fischbüro turned out to be a steppingstone into bigger careers for a lot of people.

At some point, thanks to all its research into live per-formance, the Fischbüro had to give up operations – not to mention we'd been asked to leave. This was because we'd discovered a hatch at the second Fisch-büro which led to a basement space below the inner courtyard that was only about 100 square metres large and not very high. At the same time, acid house was bringing all these new sounds from the UK and Chica-go. And so we built a sound system and called the place UFO. First you went into the Fischbüro and from there down into the basement, into the UFO. I remem-ber quite well when – this was still before the fall of the Wall – the first Love Parade took place in 1989. After-wards everyone met up at UFO and partied; it was a really small group of people, maybe fifty. In the long run, however, the club, understandably, got too loud for the neighbours and so the UFO adventure came to a close as well.

Dann fiel die Mauer.

Es war eine Euphorie in der Stadt, von der man getragen wurde. Man war mittendrin, das war wunderbar. Alle Leute um mich herum waren gut drauf, ebenso wie die Kollegen, die man in Ostberlin kennenlernte – es konnte nur etwas Gutes daraus entstehen. All die Erfahrungen, die wir bis dahin in Westberlin gemacht hatten, mit dem Organisieren von Veranstaltungen und Festivals, dem Herstellen von Platten usw. konnten wir in diese neue Situation einbringen.

Dass wir die Räumlichkeiten des späteren Tresors gefunden haben, war eine Verkettung von Zufällen. Wir waren schon seit Wochen auf der Suche nach Räumen. Meine Freunde Achim und Johnny standen im Stau auf der Leipziger Straße, Richtung Alexanderplatz. Da wurden sie auf eine Baracke aufmerksam, die links von ihnen lag, noch im Sperrgebiet. Die Baracke selbst war eigentlich ziemlich langweilig, aber in dem Moment, als wir den Keller entdeckten, war für mich klar, hier passiert was Besonderes. Und dieses Gefühl hat mich auch die ganze Zeit über begleitet. Ich habe so eine gewisse Objektliebe gespürt, ich habe mich in diese Räumlichkeiten, in diese Stahlkammer wirklich verliebt. Wir haben gleich angefangen, den Raum aufzumöbeln, zu entrümpeln, Strom zu legen, und im März 1991 konnten wir die Türen öffnen.

Es war immer was los zu dieser Zeit, und man lernte jeden Tag neue Menschen kennen, eine kollektive Aufbruchstimmung, man hatte das Gefühl, am Beginn von etwas Neuem teilzunehmen. Für jemanden wie mich, der in seinen Teeniejahren schon Woodstock erlebt hatte, war es wie eine Wiedergeburt dieses Hippietums. Alles lief sehr friedlich ab, man war ständig unterwegs und lernte die schrägsten Orte kennen. Als die ersten Freunde nach Ostberlin zogen, war es für mich ein Beleg dafür, dass die Stadthälften jetzt wirklich zusammenwuchsen. Auch im Tresor wurde nicht groß gefragt, ob man aus dem Osten oder aus dem Westen kam. Man kam an diesem magischen Ort zusammen, hatte Spaß und tanzte die Nacht durch. Hier fand die tatsächliche Wiedervereinigung statt. Hinzu kam der wesentliche Vorteil, dass es keine Polizeistunde gab und dass wir diesen rechtsfreien Raum, diese Testzeit von drei, vier Jahren, sehr konstruktiv und kreativ nutzen konnten.

Diese Nachwendezeit ist ein Beispiel dafür, was passieren kann, wenn man jungen Menschen Raum gibt und sie einfach mal machen lässt. Deshalb ist sie so prägend für die Stadt gewesen. Viele, viele junge Menschen kamen zusammen und haben experimentiert und damit Berlin bis heute komplett verändert. Das ging meiner Ansicht nach nur, weil in den Jahren davor in Westberlin eine Subkultur gereift ist, in der viel über alternative Lebensentwürfe nachgedacht und gesprochen worden war. Diese Wünsche und Sehnsüchte, die dort entstanden waren, konnten nach dem Mauerfall plötzlich umgesetzt werden. Viele hatten eine Vision davon, was sie gerne machen wollten, und konnten nun den Raum dafür finden.

And then the Wall came down.

The city was gripped by a kind of euphoria that just pulled you along with it. You were in the heart of things, it was incredible. Everyone around me was in a great mood, just like all the colleagues we met in East Berlin – this could only result in something good. All the experiences we'd had up until then in West Berlin – organising performances and festivals, making records, etc. – could be transferred to this new situation.

Finding the space that would become Tresor was the result of a chain of coincidences. We'd already been looking for spaces for weeks. My friends Achim and Johnny were stuck in traffic on Leipziger Straße going in the direction of Alexanderplatz. They became aware of a kind of barracks to their left that was still in a restricted area. The building itself was actually pretty boring, but the second we discovered the basement it became clear to me that something special was going on. And this feeling stayed with me the whole time. I felt such an instant attraction; I truly fell in love with those rooms, that steel vault. We started cleaning out and furnishing the space right away, setting up electricity, and in March 1991 we were able to open the doors.

At that point in time something was always going on, and every day you'd meet new people. There was a collective sense of something new happening; you felt like you were at the start of something. For someone like me, who'd experienced Woodstock as a teen, it was like the rebirth of hippiedom. Everything was really peaceful, you were always on your way somewhere and discovering the craziest places.

When the first of my friends started moving to East Berlin, it was a sign to me that the two halves of the city were really coming together. Even at Tresor no one really asked you if you were from the East or West. You just came to that magical place with other people, had fun, and danced the whole night long. This is where true reunification was happening. Furthermore, we had the great advantage that there was no official closing time for bars, and we could use that legal vacuum, that test period of three or four years, in a really constructive and creative manner.

This post-reunification period is an example of what can happen when you give young people space and just let them do what they need to do. That's why it had such an impact on the city. Many, many young people got together and were able to experiment and in so doing changed Berlin completely, all the way up through today. But, in my opinion, that could only happen because in the years leading up to it there'd been a subculture in West Berlin where alternative ways of living had been thought through and discussed and allowed to mature. All those dreams and desires that had started back then could suddenly be implemented after the fall of the Wall. A lot of people already had a vision of what they wanted to do, and could finally find the space to do it in.

Für mich ist diese Raumfrage ganz entscheidend. Welche Faszination Räume auf mich ausüben, wurde mir spätestens klar, als ich 1993 zum ersten Mal nach Detroit reiste. Mein Gott, dachte ich, so viele schöne Räume, die alle leer stehen und auf ein zweites Leben warten. In Berlin war zu diesem Zeitpunkt schon fast alles ausgezählt, und Detroit erschien mir als Paradies. Musikalisch war ich schon vor dem Mauerfall auf Detroit aufmerksam geworden. Ich hatte in einem Projekt mit dem Musiker und DJ Jeff Mills gearbeitet, und wir blieben in Verbindung. Nach dem Mauerfall hatte ich 1990 noch ein Atonal-Festival im Künstlerhaus Bethanien organisiert und ihn dazu eingeladen. Ein Jahr später hatten wir in Berlin den Tresor gegründet und Jeff Mills mit Mike Banks und Robert Hood in Detroit das Label und Musikprojekt Underground Resistance, kurz UR.

Detroit hat uns den Impuls gegeben für diese elektronische Musik, die die Leute begeisterte, Kids aus Ostberlin, Kids aus Westberlin. In Detroit funktionierte Techno aber nicht so wie in Berlin, weil die Bedingungen dort ungünstig waren. Sie hatten die Sperrstunde, und deshalb konnte sich das Clubleben dort nicht entwickeln. Ich hatte damals dem Chef von Underground Resistance, Mike Banks, gesagt: »Wir brauchen die Musik hier in Berlin, du musst rüberkommen.« Und das war der Start einer sehr engen Zusammenarbeit. Diese instrumentale, harte Musik der zweiten Generation Detroiter Künstler von UR und vielen anderen, das mochten die Leute hier. Die wollten keine Lyrics, die brauchten diesen harten Sound.

Als ich in den letzten Jahren in Detroit war, dachte ich, ich müsste für diese Richtung, die uns Techno damals gegeben hat, etwas zurückgeben. Was können wir zurückgeben? Wir können diese Erfahrungswerte zurückgeben, die wir in all den Jahren gemacht haben. Und wir können auch Struktur zurückgeben. Deshalb habe ich einen Verein gegründet, die Detroit-Berlin-Connection und Initiativen wie »Move to Detroit«. Die Räume sind da, teilweise zerfallen, aber die Menschen fehlen. Ich habe mich mit der Frage beschäftigt, was man tun kann, um die Menschen dorthin zu bringen. Die besten Künstler der Welt aus dem Bereich Techno kommen aus Detroit und leben dort. Detroit blickt auf eine unglaubliche Musikgeschichte zurück: MC 5, Iggy Pop, Madonna, Motown, Eminem, White Stripes – es ist eine Music City. Aber sie haben kaum Clubs, wie wir sie kennen. Man muss Clubs einen viel höheren Stellenwert beimessen, als das bisher geschieht. Es war nach dem Mauerfall nämlich nicht nur die Musik, es war das Zusammentreffen der Menschen in diesen Räumen wie dem Tresor, dieser Stahlkammer, heute dem Berghain, in diesen Ruinen. Und dann kommt der Soundtrack dazu. Es waren diese Intensitäten, die die Menschen dort erlebten, diese dunklen Räume mit diesen heftigen Soundsystemen und diesen Beats. Techno ist unheimlich wichtig für Berlin. Ein gewaltiges Potential der Stadt Berlin liegt heute einerseits darin, die Erfahrungen der letzten 25 Jahre zu bündeln und

For me, this question of space is crucial. I figured out the degree to which spaces have an allure for me a few years later when I travelled to Detroit for the first time in 1993. My God, I thought, there are so many beautiful spaces standing empty and waiting for a second life! At that point in time everything in Berlin was already taken; Detroit seemed like paradise. Musically speaking, even before the fall of the Wall I'd become aware of what was happening in Detroit. I'd worked on a project with musician and DJ Jeff Mills, and we'd stayed in touch. Furthermore, in 1990, after the Wall came down, I'd organised the Atonal Festival at the cultural centre Künstlerhaus Bethanien and asked him to perform. A year later we founded Tresor in Berlin, and Jeff Mills founded the label and musical project Underground Resistance, otherwise known as UR, in Detroit.

Detroit had given us the impulse for this kind of electronic music, which just really inspired everyone: kids from East Berlin, kids from West Berlin. But techno didn't really work in Detroit like it did in Berlin because the conditions weren't right. Due to the fixed closing times, club life couldn't really develop. I'd told Mike Banks, the head of Underground Resistance: »We need the music here in Berlin, you've got to come over.« And that was the start of a very close relationship. That hard, instrumental music from UR, Robert Hood and Jeff Mills, people really liked it here. They didn't want any lyrics, but they needed that sound.

Whenever I've been in Detroit over the last number of years I've thought about how I just had to give something back to this wave that gave us techno. What can we do? We can provide our years of experience, and we can provide a sense of structure. That's why I've founded an association, the Detroit-Berlin Connection, and initiatives like »Move to Detroit«. The spaces are there, maybe a bit run down in parts, but the people are missing. I've concerned myself with the question of what you can do to get people there. The best techno artists in the world come from Detroit and live there. The city has an unbelievable musical history: MC5, Iggy Pop, Madonna, Motown, Eminem, the White Stripes – it really is Music City. But they don't have any clubs. People have to start recognising the importance of clubs. After the Wall came down, it wasn't only the music, it was the coming together of all these people in those old ruins, in spaces like Tresor, in that steel vault, and today at Berghain. And then there's the soundtrack. It had to do with all the intense experiences people had there, those dark spaces with their massive sound systems and those beats.

Techno is incredibly important for Berlin. The city has the potential to collect its experience of the last 25 years and to pass it on to other cities that need the help. And one of the cities we can really help is Detroit.

In 2005 we had to leave the old Tresor – still a mistake on the part of the city's Senate. They should've held onto that old Jewish steel vault. My plan at the time

sie weiterzugeben, an andere Städte, die diese Hilfe brauchen. Und eine dieser Städte, der wir wirklich helfen können, ist Detroit.

Im Jahr 2005 mussten wir den alten Tresor verlassen – nach wie vor ein Fehler des Senats. Sie hätten diese alte jüdische Stahlkammer erhalten sollen. Mein Plan war damals, auf den Fundamenten einen Tresor-Tower zu bauen, in dem Agenturen, andere Labels, Magazine und Hostels unterkommen sollten. Aber die Stadt hat das Grundstück meistbietend verkauft, und dann wurde dort eines dieser langweiligen Geschäftshäuser gebaut, das zum Teil heute noch leer steht. Es wurde übersehen, dass der Tresor eine sehr große Strahlkraft hätte haben können. Die Stadt hätte stolz auf diese Spezialimmobilie, den Tresortower, sein können, weil er den Aufbruch in eine neue Zeit symbolisiert und mit seiner Strahlkraft der gesamten Umgebung neues Leben eingehaucht hätte.

Wir mussten also umziehen, und ich hatte mir in diesen Tagen eigentlich überlegt, ich höre jetzt auf. Doch es kam anders. Freunde überredeten mich weiterzumachen. Und ich fand eine neue Herausforderung. Das Kraftwerk in der Köpenicker Straße hatte ich mir eigentlich eher als Unterbringungsmöglichkeit für Sachen aus dem Tresor angeschaut. Als ich dann aber die Räume betrat, hatte ich gleich wieder dieses besondere Gefühl und dachte: »Nein, nicht schon wieder diese Götter und Geister«, und war schon wieder am Abheben. Dieser Reiz überrollte mich einfach. Und dann bin ich nochmal und nochmal hineingegangen und habe den Plan geschmiedet, in einem ganz kleinen Eckchen in dieser großen Halle was zu bauen. Ich habe die Reliquien des alten Tresors, die Seele dieses alten Ortes, versucht, hier unterzubringen, und die fühlten sich ganz wohl.

Wir kamen aber an einen Punkt, an dem es schwer war weiterzukommen. Nichts lief so recht, die Genehmigungen forderten für einen solchen Sonderbau sehr viel Zeit und Geduld für Gespräche mit Planern und Architekten; es war schwierig, das Team aufzubauen, und ich hatte Probleme, einen strategischen Partner zu finden. Irgendwann gab mir ein Freund den Rat, mal einen anderen Weg zu probieren, und dann kamen die Mönche aus dem Tibet und haben ein Gebäude-Clearance durchgeführt. Ich weiß nicht, was die genau gemacht haben, das war sehr merkwürdig, eine andere Realität, für mich jedenfalls. Aber danach funktionierten die Dinge, auch mit den Behörden. Darum sage ich auch heute, manchmal muss man, wenn man nicht weiterkommt, auch ungewöhnliche Wege gehen. Die Reinigungskosten wollte ich dann dem Finanzamt vorlegen, aber Kosten für spirituelle Reinigung kannten sie nicht, das war nicht vorgesehen.

was to erect a Tresor tower on the foundations that would host various agencies, music labels, magazines, and hostels. But the city sold the property to the highest bidder and then one of those terribly boring office buildings was built, which to this day remains partially empty. They overlooked the fact that Tresor could have had an amazing appeal. The city could have been proud of this particular real estate, the Tresor tower, as a symbol of the start of a new era, and could have used its appeal to breathe new life into the whole area. But, it was time for us to move, and those days I wondered if it wasn't time to give up. But things turned out differently. Friends convinced me to go on, and I found a new challenge.

In truth, I'd been thinking about the power plant on Köpenicker Straße more as a place to store things from Tresor. But when I came into the space, I immediately had that particular feeling again and thought, »No, not these gods and ghosts again«, and once more I was ready for lift off. That excitement simply bowled me over. And I went back one more time and then another, and then I came up with the idea of building something in a tiny corner of this huge hall. I brought the relics over from the old Tresor, the soul of the former space, and they've felt good here.

But we'd arrived at a point where it was tough to get any further. Nothing seemed to go too smoothly: we weren't able to get the right permits, it was tough to get a team together, I had problems finding a strategic partner. At some point a friend of mine suggested trying a different way, and that's when the Tibetan monks came in and performed a cleansing ritual for the building. I have no idea what they did exactly; it was very bizarre, another world entirely, or for me anyway. But after that things started to work, even with the officials. That's why I still say that, sometimes, if you're not getting anywhere, you have to try something unusual. I wanted to have those costs written off by the tax authorities, but they weren't familiar with spiritual cleaning; apparently there's no legal provision for it.

KRIEG DEN HÜTTEN

HOUSING WAR

Im November 1990 sind in der Mainzer Straße in Friedrichshain dreizehn Häuser besetzt, die am 14. November
nach mehrtägigen Auseinandersetzungen von einem
Aufgebot der Polizei geräumt werden. Ein paar hundert
Hausbesetzern stehen tausende Polizisten mit schwerem
Gerät gegenüber. Über Stunden liefern sie sich eine erbit-
terte Schlacht. Die Gewalt eskaliert auf beiden Seiten.
Die Räumung gilt als einer der massivsten Polizeieinsätze
im Berlin der Nachkriegszeit und führt zur Auflösung der
rot-grünen Koalition.

As of November 1990 there were thirteen squats on
Mainzer Straße in Friedrichshain. After days of skirmishes
with police, they began to be cleared November 14.
A few hundred squatters faced off against thousands of
heavily armed police officers and put up a fierce battle
for hours. The violence continued to escalate on both
sides. The clearing of the squats is considered to be one
of the largest police manoeuvres in post-war Berlin history and led to the dissolution of the Red-Green coalition
in government.

FOTOS **PHOTOS**
Harald Hauswald

HH Wasserwerfer / Water cannons, Mainzer Straße, 1990

Wohnkultur

Polstermöbel

KONSUM

Wohn

HH Polizeiaufmarsch / Police-deployment, Frankfurter Allee, 1990

HH Räumung besetzter Häuser / **Clearance of occupied houses,** 1990

HARALD HAUSWALD

Es sollten in Friedrichshain Häuser geräumt werden. Das haben die Leute aus den Häusern in der Mainzer mitbekommen und dann eine Sitzblockade auf der Frankfurter Allee gemacht – obwohl die Mainzer Straße eigentlich gar nicht dabei sein sollte. Der darauf folgende Polizeieinsatz eskalierte sehr schnell. Die Besetzer verschanzten sich in den Häusern, und aus den Fenstern und von den Dächern flogen alle möglichen Wurfgeschosse.

A number of buildings in Friedrichshain were said to be cleared of their squatters soon. People squatting buildings on Mainzer Straße got hold of this information and created a sit-in on Frankfurter Allee – although Mainzer Straße wasn't even supposed to be included. The subsequent police response escalated really quickly. The squatters entrenched themselves in their buildings, and in no time all kinds of projectiles began to fly from the windows and rooftops.

HH Barrikade / **Barricades,** Mainzer Straße, 1990

Ich habe mit dem Weitwinkelobjektiv blind fotografiert, um auf die herumfliegenden Steine achten zu können. Ein Polizist, der neben mir stand, hatte sein Visier hochgeklappt und hat einen halben Dachziegel gegen das Kinn gekriegt. Er ist umgekippt wie ein Brett.

I used my wide-angle lens, shooting randomly so that I could manage to avoid all the flying stones. A police officer standing next to me had raised his visor and got half a roof tile against his chin. He fell over like a board.

HH *Verletzter Polizist / Hurt policeman,* 1990

HH Räumung besetzter Häuser / **Clearance of occupied houses,** 1990

HH Festnahme / Arrest, 1990

HH Räumung besetzter Häuser / Clearance of occupied houses, 1990

HH Eingenommene Barrikade / **Barricades taken by the police**, 1990

HARALD HAUSWALD

Ich hatte einen Auftrag vom *stern* und ein Kollege, Thomas Sandberg, hatte mir am Dienstagabend Bescheid gesagt, dass die Räumung Mittwoch früh stattfinden sollte. So war ich rechtzeitig da, als es losging, und habe fotografiert. Das SEK wollte mir meine Filme abnehmen, doch sechs Kollegen haben sich um mich herum gestellt und gesagt: »Nee, ist nicht, Pressefreiheit.«

I'd been given the assignment by *stern* magazine, and a colleague of mine, Thomas Sandberg, had told me on Tuesday evening that the clearing of the buildings would take place early Wednesday. And so I was there right when everything got going and was able to take photographs. The SEK riot unit wanted to take my film, but six colleagues gathered round me and said: »Nope, not going to happen: freedom of the press.«

Polizei und Hausbesetzer im Hinterhof / **Police and squatters in the back courtyard**, 1990

HARALD HAUSWALD

Der finale Angriff kam aus der Luft. Das SEK hat sich aus Hubschraubern abgeseilt und die Häuser von oben geknackt. Sie haben die Presse nicht reingelassen in die Häuser, die sie schon gestürmt hatten. Ich habe aber einen Eingang gefunden, vor dem noch keiner stand, und bin rein ins Treppenhaus und habe Fotos gemacht. Sie haben mich dort schnell wieder rausgeholt. Das war wie Krieg.

The final attack came from the air. The SEK were rappelling down from helicopters and breaking into the buildings from the rooftops. They didn't let the press into any of the buildings they'd already stormed. I, however, found an entrance that no one had been guarding, made my way into the stairwell and started taking photos. But the police got rid of me really quickly. It was like war.

HH Verletzter / Injured person, 1990

OL

Drei Witze die Woche
Three Jokes a Week

Als in Berlin die Mauer fiel, war ich in München bei meiner Tante. Ich bin im August 1989 über die ungarische Grenze abgehauen und lebte seitdem bei ihr. Sie hatte einen Weinladen und darüber ihre Wohnung mit Büro und einer kleinen Kammer. In der habe ich gewohnt. Ich saß gerade mit einer dicken Backe und ziemlichen Schmerzen vor dem Fernseher, weil sie mir am selben Tag den Weisheitszahn gezogen hatten, sah diese ganzen Ossis, wie sie an der Bornholmer Straße über die Grenze kamen, und dachte nur – auch das noch. Anders als die meisten meiner Freunde, die entweder Ausreiseanträge gestellt hatten oder es vorhatten, wollte ich nie abhauen. Ich hatte keine Vorstellung davon, was ich im Westen soll, und habe immer gedacht, wenn ich im Osten nicht klarkomme, komme ich im Westen auch nicht klar. Allerdings war das Problem, dass ich irgendwann zur Volksarmee musste. Ich hatte den Wehrdienst nicht direkt verweigert, sondern mich als Bausoldat beworben, da bekam man einen Aufschub und wurde bis zum sechsundzwanzigsten Lebensjahr nicht gezogen. Aber ich wusste, irgendwann kommt diese Situation, dass es heißt, du musst jetzt zur Armee, dann hätte ich den Wehrdienst verweigert und wäre in den Knast gegangen. Da wollte ich aber nicht hin. Ich war 24 und hatte einen guten Job als Grafikdrucker beim staatlichen Kunsthandel. Das war eine Nische, ich wurde gesellschaftlich nicht drangsaliert, musste zu keinen Demonstrationen und auch nicht in irgendeinen Verein wie die FDJ. Ich hatte meine Freiheit, einen eigenen Werkstattschlüssel und konnte arbeiten, wann ich wollte. Wir haben für fast alle Künstler der DDR Grafiken und Radierungen gedruckt, das hat mir Spaß gemacht. Nebenbei habe ich Comics gezeichnet, heute würde man sagen Untergrundcomics, und die sind bei einer Haussuchung der Stasi in die Hände gefallen. Ich bin daraufhin mit ein paar Abzügen zu Gregor Gysi gegangen, der Anwalt war, um herauszubekommen, was mir droht. Er hat die Blätter mit spitzen Fingern angefasst und wollte sich damit ganz offensichtlich nicht beschäftigen. Nur meinem Freund, in dessen Wohnung die Haussuchung stattgefunden hatte, riet er,

When the Wall came down in Berlin I was at my aunt's in Munich. I'd slipped across the Hungarian border in August 1989 and had been living with her ever since. She had a wine shop and over it her flat with an office and a small room, which is where I was living. I was sitting in front of the television with a swollen cheek, in a bit of pain because I'd just had a wisdom tooth pulled that day, watching all those Ossis crossing the border at Bornholmer Straße and all I could think was – now that too.
As opposed to most of my friends, who had either applied for exit visas or were planning to, I never wanted to leave. I had no idea what I'd do over in the West and had always thought: »If I can't manage to get by in the East, I won't get by in the West either.« Having said that, there was also the issue that sooner or later I'd have to do my military service. I hadn't directly refused going into the army, but had applied to be a so-called construction soldier, then you got a deferral until your twenty-sixth birthday. All the same I knew that at some point I'd have to go into the army and I'd refuse and end up in jail. And I definitely didn't want to end up there.
I was 24 and had a good job as a printer in the state-run art trade. That was a niche, I wasn't bullied by society, didn't have to go to any demonstrations or join any group like the official FDJ youth movement. I had my freedom, my own shop key, and could work whenever I wanted. We did prints and etchings for almost all the artists in the GDR; it was fun. I drew comics on the side, today people would call them underground comics, and one day they fell into the hands of the Stasi during a house search. After that, I went to see the lawyer Gregor Gysi with a few copies to see what was in store for me. He was very reticent and quite clearly didn't want anything to do with the whole thing. He only recommended that my friend whose flat had been searched justify his application for an exit visa on familial and not political grounds, which would allow him to get out more quickly. He wished me luck and hoped that the Stasi wouldn't figure out who had done the comics. Then I went to see Lothar de Maizière, who

OL, 2000

seinen Ausreiseantrag familiär und nicht politisch zu begründen, weil er dann schneller draußen wäre. Mir hat er viel Glück gewünscht und dass die Stasi nicht rausbekäme, von wem die Comics stammten.

Danach bin ich zu Lothar de Maizière, der hat mich als Mandant akzeptiert und mir die Paragrafen vorgelesen: anderthalb bis drei Jahre wegen Herabwürdigung der Staatsmacht und unerlaubter Vervielfältigung. In dem Moment wusste ich, dass ich fortan für die Stasi erpressbar bin. Wir waren mit der Druckerei praktisch der Friseursalon für bildende Künstler in der DDR. Die kamen zu uns, haben Wein und Kaffee getrunken, geraucht und über alles geredet, was ihnen auf der Seele lag. Wir waren nur drei Kollegen, und ich habe mir ausgerechnet, dass ich für die Stasi als Spitzel interessant sein könnte.

took me on as a client and read me the relevant legal paragraphs: One and a half to three years for belittling the state and unauthorised reproduction. At that moment, I knew I'd be open to Stasi blackmail. The printer's shop was more or less a kind of barbershop for visual artists in the GDR. They'd come to see us, drink wine and coffee, smoke, and talk about everything that was on their minds. There were only three of us working there, and I figured that I'd be of interest to the Stasi as an informant.

That's when I made the decision to leave. On 21 August '89, I was in Prague, and three days later I went over the Hungarian border and on to Munich by way of Vienna and didn't find the West to be so bad after all.

Damit fiel für mich die Entscheidung, abzuhauen. Am 21. August 89 war ich in Prag, und drei Tage später bin ich über die ungarische Grenze, über Wien nach München und fand es dann gar nicht so schlecht im Westen.

Nach dem Mauerfall wollte ich zurück nach Berlin und bin auch kurze Zeit später hingefahren. Ich empfand die Stadt aber als grau und deprimierend und war ganz froh, dass ich mich in München eingelebt hatte – ich habe dort eine Schule für Grafik und Gestaltung besucht und hatte neue Freunde. Trotzdem bin ich dann 1991 zurück nach Berlin, allerdings nicht für lange, weil meine damalige Freundin ein Stipendium in Brighton bekam und ich sofort mitgegangen bin. Die Entwicklung, die Berlin damals nahm, fand ich unangenehm, zum Beispiel diese ganzen nun offen auftretenden Neonazis. Ich bin auch von Skinheads angegriffen worden, hatte damals aber glücklicherweise Tränengas dabei und habe sie damit eingenebelt.

Faschos waren schon im Osten aktiv. Das war ja auch eine Art von Jugendopposition, eine Möglichkeit, das System zu provozieren. Der Staat hat nicht viel dagegen unternommen. 1987 wurde ein Konzert in der Zionskirche überfallen, auf dem Punkbands aus Ostberlin wie Die Firma, aber auch die Westberliner Band Element of Crime gespielt haben. Dreißig Hools haben damals tausend Leute aufgemischt, und die Volkspolizei hat zugeschaut. Die paar Skinheads, die sie gekriegt haben, wurden später zu relativ kurzen Haftstrafen verurteilt. Da hieß es, das sei alles vom Westen gesteuert gewesen. Die Nazis waren keine wirkliche Bedrohung für das System, die Bedrohung war eben eher die Opposition.

In der kurzen Zeit, bevor ich nach England ging, habe ich in der Chausseestraße gegenüber vom Brecht-Haus gewohnt. Dort in Mitte waren damals lustige Leute unterwegs. Viele kamen ja nach Berlin, weil dieser Chaoszustand herrschte, eine Art Anarchie. Überall wurden in irgendwelchen Kellern Clubs aufgemacht, meistens von Westlern, die Ostler haben zugeguckt. Die Westler haben auch Häuser besetzt oder gekauft, die Ostler haben immer noch zugeguckt und sich mehr und mehr aufgeregt. Die waren einfach zu doof, um Häuser oder Wohnungen zu kaufen, oder hatten kein Geld. Das Kapital kam halt aus dem Westen. Und viele, die aus dem langweiligen Westen kamen, für die war das natürlich ein super Spielplatz. Es gab keine Regeln, die hat man sich selber ausgedacht. Auch die Polizisten waren zurückhaltend, im Vergleich zu DDR-Zeiten. Was sich aber auch bald geändert hat, wie man bei den Hausräumungen in der Mainzer Straße sehen konnte. Das war, glaube ich, das erste Mal, dass die Ostpolizisten mit der Westberliner Polizei zusammengearbeitet haben, und da durften sie endlich mal wieder draufhauen.

After the fall of the Wall, I wanted to go back to Berlin and did so a little while later. But I found the city to be grey and depressing, and was really happy I had settled into life in Munich – I'd gone to a school for graphic design and layout and made new friends. Nevertheless, I came back to Berlin in 1991, if not for too long because my girlfriend at the time got a scholarship in Brighton and I went right along with her. I found the transformation Berlin was going through back then unpleasant; for example, all the Neo-Nazis who'd begun to walk about so brazenly. I was attacked by skinheads once too, but luckily I had some teargas on me and was able to spray them. Fascists had already been active in the former East. It was also a kind of youthful rebellion, a means of provoking the system. The state didn't really do too much about it. In 1987, there was an attack at a concert at the Zionskirche when the East Berlin punk band Die Firma and the West Berlin band Element of Crime were playing. Thirty hooligans roughed up a thousand people, and the police just stood there watching. The few skinheads they grabbed later on were given relatively short sentences. The officials said that everything had been set up by the West. The Nazis posed no real threat to the system; on the contrary, the threat was the opposition.

In the short time before I went to England I lived on Chausseestraße, right across from the Brecht-Haus. At that point in time, in Mitte, there were some really interesting people about. A lot of them had come to Berlin precisely because of the chaos, a kind of anarchy. Everywhere clubs were being opened in some basement or other, most of the time by people from the West, while the people from the East just looked on. The people from the West occupied or bought houses, while the people from the East just stood by and got more and more upset. They were simply not clever enough to buy houses or flats, or they had no money. All the capital was coming from the West. And for many of those people coming from the boring West, of course, it was just one giant playground. There were no rules, people just made things up as they went along. Even the police held back when compared to the GDR times. But you could see what did change by the clearing of the occupied spaces on Mainzer Straße. I think that was the first time the East Berlin police worked together with the police from West Berlin, and at that point they could finally get back to really beating people.

In the GDR, I had no future, or rather, I hadn't ever seen it, and my comics were a kind of outlet. I never saw myself as an artist, and even the exhibitions weren't really for me to show my comics or sell myself, they were just an excuse to party. In the East, there were all these big apartment and private galleries, and in

Zu DDR-Zeiten hatte ich keine Zukunft oder sie zumindest nie gesehen, und meine Comic-Zeichnungen waren eher ein Ventil. Ich habe mich nie als Künstler verstanden, und auch die Ausstellungen waren nicht so sehr dazu da, die Comics zu zeigen oder mich zu präsentieren, sondern eher ein Anlass, um Partys zu feiern. Es gab ja im Osten diese ganzen Wohnungs- und Privatgalerien und da brauchte man eben immer einen Inhalt. Eigentlich ging es hauptsächlich um die Eröffnungen. Die wurden dann so lange zelebriert, bis die Bullen kamen.

Es war Zufall, dass ich später mit den Strichmännchen, die ich gezeichnet habe, Geld verdienen konnte. In München hatte ich mit diesen Strichmännchen-Geschichten angefangen und zwei Seiten davon an die Satierezeitschrift *Kowalski* geschickt. Die haben das sofort gedruckt und gefragt, ob ich noch mehr habe. 1991 habe ich beim *Zitty*-Comicwettbewerb gewonnen und bei der Gelegenheit die Redakteure gefragt, ob sie davon noch mehr veröffentlichen wollen. Auf einmal war ich hauptberuflicher Comic-zeichner und konnte gut davon leben.

Es war ja auch die Zeit, als Magazine wie *Kowalski* oder *Zitty* noch Zigaretten- und Alkoholwerbung in den Heften hatten. Da sind die Honorare gesprudelt, das Geld war da, es gab noch keine Zeitungskrise. Ich habe für verschiedene Zeitschriften gearbeitet und manchen Witz gleich dreimal verkauft. 1996 gab es einen kleinen Skandal um einen daumen-großen Witz in der *Zitty*. Als die Zeitschrift *Focus* gerade neu auf dem Markt war, gab es diesen Werbe-spot, in dem Helmut Markwort am Redaktionstisch sitzt, auf den Tisch kloppt und »Fakten, Fakten, Fakten, und immer an die Leser denken« brüllt. Ich habe einen Witz gemalt, da sagt er stattdessen: »Ficken, ficken, ficken, und nicht mehr an den Leser denken.« Darauf-hin wurde die *Zitty* verklagt und zur Zahlung von 15.000 DM verurteilt. In Folge dieser Verurteilung hat die *Titanic* den Witz nachgedruckt und wurde dafür wiederum von *Focus* auf 60.000 DM Schmerzens-geld verklagt, hat den Prozess aber gewonnen. Und Markwort hat sich dadurch völlig lächerlich gemacht.

Irgendwann 1997 hat die *Berliner Zeitung* dann beschlossen, eine regelmäßig erscheinende Comicseite zu drucken. Keiner dort hatte Ahnung, weder von Comics noch wie so eine Seite aussehen könnte. Der zustän-dige Redakteur ist einfach in einen Comicladen gegan-gen und hat für dreihundert Mark wahllos Bücher gekauft. Da hat ihn der Typ an der Kasse gefragt, was er damit vorhat. »Wir machen eine Comicseite für die *Berliner Zeitung*.« »Es gibt in Berlin aber auch Comic-zeichner, warum nehmen Sie denn keine Berliner?« Tom hat da schon für die *taz* gearbeitet, Fil für die *Zitty*, und dann gab es noch mich. Sie haben angerufen und gefragt, ob ich mir vorstellen könnte, wöchentlich einen Comicstrip zu machen. Damals hatte ich den

those places you always needed some kind of occa-sion. In the end, the main thing was really the open-ings. And they'd carry on until the cops showed up. It was just a coincidence that later I was able to make some money off the little stick figure I'd drawn. I'd started the stick-figure stories down in Munich and sent two pages of them to the satirical journal *Kowalski*. They printed them immediately and asked if I had more. In 1991, I won *Zitty* magazine's comic contest and used the opportunity to ask the editors if they wanted to publish more of them. All of a sudden I was a full-time comic artist and was making a good living.

That was also the time when magazines like *Kowalski* or *Zitty* still ran ads for cigarettes and alcohol. Royal-ties were just flowing in, the money was there, there wasn't any newspaper crisis yet. I worked for a number of different newspapers and sometimes sold the same joke three times.

In 1996, there was a small scandal about a thumb-sized joke in *Zitty*. When the magazine *Focus* was just coming onto the market, there was an ad showing Helmut Markwort at his editor's desk as he rapped his knuck-les on it and barked: »Facts, facts, facts, and always think of the reader.« I drew a cartoon with him instead saying: »Fuck, fuck, fuck, and no longer give a single thought to the reader.« As a result, *Zitty* was sued and ordered to pay a 15,000-mark fine. Subsequently, *Titanic* reprinted it and was also sued by *Focus* to the tune of 60,000 marks, but *Titanic* won the case. And Markwort just made himself look like a fool.

At some point in 1997, the *Berliner Zeitung* decided to print a regular comic page. No one knew a thing about comics or what a page like that should look like. So the then-editor just went to a comic-book shop and bought up 300 marks worth of books. The guy at the till asked him what he intended to do with all of them. »We're creating a comic page for the *Berliner Zeitung*.« »But there are comic artists in Berlin, why don't you just take a Berliner?« Tom had already worked with the *taz*, Fil had worked for *Zitty*, and then there was me. They called me up and asked if I could imagine drawing a weekly comic strip for them. By that point, I had internalised the West so much that I didn't say: »I don't know, I'm not sure, I don't think so, I'm not confident enough.« Instead I just said yes. That's the first thing I learned in the West: just say yes and then see what you can do – you can always bail at the last minute. My daughter was just six weeks old, and suddenly I had a steady job.

I have been drawing that weekly strip for twenty years now, and the editors have always given me complete freedom. I published things there that I now wouldn't even touch with a ten-foot pole. But they always just said: »We don't get it, but it doesn't matter, we're publishing it anyway.«

Der Große ist jetzt auf der Waldorfschule
unser ißt Waldorfsalat, das ist billiger und schmeckt jut
fertig

Westen schon so verinnerlicht, dass ich nicht gesagt habe: »Weiß ich nicht, kann ich glaube ich nicht, traue ich mir nicht zu«, sondern erstmal zugesagt habe. Das ist das Erste, was ich im Westen gelernt habe: ja zu sagen und hinterher zu gucken, was man draus macht – abspringen kann man schließlich immer noch. Meine Tochter war gerade sechs Wochen alt, und plötzlich hatte ich einen festen Job.

Inzwischen zeichne ich den Strip seit zwanzig Jahren wöchentlich, und der Redakteur hat mir immer alle Freiheiten gelassen. Ich habe da Sachen veröffentlicht, die würde ich heute nicht mal mehr mit der Zange anfassen. Aber er hat gesagt: »Verstehe ich nicht, aber egal, drucken wir trotzdem.«

Ich arbeite generell gerne mit einem vorgegebenen Thema, an dem ich mich reiben kann. Drei Witze die Woche zu produzieren, einfach so ins Blaue, ist auf Dauer anstrengend. Nach kurzer Zeit hatte ich keine Lust mehr oder gar Ideen, um wöchentlich eine Geschichte zu malen, und habe dann einfach einen Witz breitgehauen, in die Länge gezogen, und daraus sind dann diese Panorama-Bilder entstanden. Ich habe mir Serien ausgedacht – Leser schätzen den Wiedererkennungswert: *Jürgen der Trinker* und später *Die Mütter vom Kollwitzplatz*. *Jürgen der Trinker* fand ich selbst lustig, *Die Mütter vom Kollwitzplatz* fanden die Abonnenten und die Redakteure sehr schön, darum zeichne ich das auch heute noch. Dabei geht es darin gar nicht mehr um den Kollwitzplatz, vielmehr um eine Art Sittenbild der heutigen Bourgeoisie. Es könnte auch irgendein anderer Platz sein, in Hamburg oder Köln. Die Serie läuft jetzt schon seit fünfzehn Jahren, und dadurch, dass ich diesen Platz dokumentiere, sehe ich, wie er sich verändert und dass es dort eigentlich immer krasser zugeht. Ich kann diesen Müttern, die ich da zeichne, alles Mögliche in den Mund legen – und ein halbes Jahr später sagen sie es tatsächlich. Dann staune ich und denke, das habe ich mir doch nur ausgedacht.

Ein Witz sollte auch ohne Dialekt funktionieren, aber manchmal nehme ich den Berliner Dialekt mit rein. Berlinern ist für mich immer so ein bisschen wie Bellen. Wenn mir jemand auf der Straße dämlich kommt, und oft sind das ja keine Berliner, wohnen ja kaum noch welche hier in Prenzlauer Berg, wenn du dann stark berlinerst, schrecken die meisten zurück. Ein Straßenköter, der kläfft. Das macht mir Spaß.

In general I like to work with a given topic that I can wrangle with. In the long run, producing three jokes a week, just like that, is stressful. After a short period of time, I just didn't want to draw a story every week, I didn't have any more ideas, and so I simply stretched out a joke, and that's how the panorama-style images originated. I came up with whole series – readers really appreciate recognition value – *Jürgen the Drinker* and later *The Mothers of Kollwitzplatz*. I found *Jürgen the Drinker* very funny myself; the subscribers and editors liked *The Mothers of Kollwitzplatz* a lot, that's why I continue to draw it today. But it really doesn't have anything to do with Kollwitzplatz anymore, it's more of a depiction of today's bourgeoisie. It could be any old square, in Hamburg, say, or Cologne. The series has been running for fifteen years now and through my documentation of the square I can see just how much it has changed and how it's constantly getting more outrageous. I can make these moms I draw say just about anything – and half a year later they will actually say it. Then I think: That's amazing, I just thought that up.

A joke should be able to go over even without dialect, but sometimes I do put a bit of Berlin dialect in there. To me, speaking Berlin sounds a little like barking. When I see someone on the street who seems stupid – and most of the time they're not Berliners; hardly any Berliners live here in Prenzlauer Berg anymore – and I then speak in heavy Berlin dialect, most of them cringe. A snarling street dog. I think that's fun.

OL, 1994

VAGA
BUNDEN
ROAMING

Schlagartig war das Umland Berlins zugänglich geworden. Unter der kundigen Führung aus dem Osten stammender Freunde brach man zu Erkundungstouren auf; immer auf der Suche nach nützlichem Material, das in den Berliner Clubs verbaut oder für künstlerische Aktionen genutzt werden konnte, wurden alte Gebäude und stillgelegte Industrieanlagen ausgekundschaftet – in manchen Fällen mit erschreckendem Ergebnis. So stellte sich beim Besuch des Kalk- und Zementwerks Rüdersdorf heraus, dass es dort ein Haftarbeitslager gegeben hatte.

All at once the areas surrounding Berlin were no longer off-limits, and so, led by knowledgeable friends from the East, people began to take off on exploratory excursions, forever on the lookout for material that could later be refashioned in Berliner clubs or turned into art. Old buildings and ex-industrial spaces were explored – sometimes with shocking results. And that's what happened on a trip to the lime and cement factory in Rüdersdorf, which was revealed to once have been a labour camp.

FOTOS **PHOTOS**
Ben de Biel

B d B Unterwegs mit dem / **Underway with the** KrAZ

B&B Haftarbeitslager Zementwerk / Labour camp cement factory Rüdersdorf, 1991

Haftarbeitslager Zementwerk / **Labour camp cement factory** Rüdersdorf, 1991

BEN DE BIEL

Wir stießen 1991 auf einem unserer Umlands-Ausflüge mit Peter Rampazzo, der sich dort auskannte, auf das Haftarbeitslager in Rüdersdorf, wo vor der Wiedervereinigung Straftäter und Dissidenten zur Arbeit im Zementwerk gezwungen worden waren. Schon Ende der 60er Jahre wurden dort aufmüpfige Jugendliche zur Umerziehung eingesperrt.

In 1991, Peter Rampazzo, who really knew his way around, led one of our excursions into the surrounding areas of the city, and he showed us the labour camp in Rüdersdorf, which is where, before reunification, criminals and dissidents were forced to work in the cement factory. Recalcitrant kids were already being locked up there for re-education by the end of the '60s.

Das Lager hatte eine visuelle Brutalität, ich habe niemals etwas Vergleichbares gesehen, weder im Westen
noch im Osten.

Visually, the space was just brutal; I'd never seen
something like that before, in the West or in the
East.

B d B Haftarbeitslager Zementwerk / **Labour camp cement factory** Rüdersdorf, 1991

Artefakte /**Artefacts,** Rüdersdorf, 1991

Beeindruckend war, wie sich der Staub der Zement-
produktion sogar auf dem Stacheldraht zentimeter-
dick abgesetzt hatte. Die Arbeitsbedingungen für die
Häftlinge waren schrecklich, aber auch die Bewacher
waren in primitiven, behelfsmäßigen Wachtürmen
stationiert. Das Lager war ein menschenverachtender
Ort.

What was incredible was how the dust produced by
the cement had even settled on the barbed wire, cen-
timetres thick. The detainees' work conditions were
god awful, but the guards were also stationed in primi-
tive, makeshift watchtowers. The prison was just an
inhuman space.

Schmiede / **The forge,** Rüdersdorf, 1991

Als wir wenige Wochen später eine zweite Expedition machten, war man schon dabei, das Lager abzurei-ßen und aus der Geschichte zu tilgen. Bis heute ist die Aufarbeitung des Themas in der Öffentlichkeit nur zögerlich erfolgt.

When we went on a second expedition just a few weeks later, the prison was already in the process of being torn down and being effaced from history. Up until today, there have only been hesitant attempts at an open, historical treatment of the subject.

BdB Begonnener Abriss / The beginning of demolition, Rüdersdorf, 1991

FRANK CASTORF

Ins Offene, Freund
Into the Open, Friend

Das Berlin meiner Kindheit war eine zerstörte Stadt. Die Grenzen waren noch offen, und wir sind oft sonntags mit dem Auto nach Westberlin rübergefahren, in eine feingemachte Stadt, wo die Narben des Krieges eher verheilt waren.

Ich bin im Prenzlauer Berg aufgewachsen. Wir haben in den Ruinen gespielt – wie Kinder so sind, wenn sie Abenteuer und Herausforderungen sehen und nicht jeder Platz gesichert ist. Heute sind am Helmholtz- und Kollwitzplatz die Ratten das einzige Problem, man kriegt die Pest, wie bei Camus. Damals war alles Wildwuchs.

Mein Vater hatte eine Eisenwarenhandlung in der zweiten, dritten Generation an der Stargarder Straße, Ecke Pappelallee. Dort fanden 1945 die letzten Kampfhandlungen in Berlin statt. Es gab noch einen Durchbruch von Fallschirmjägern und den Resten von Panzereinheiten, die versuchten, über die Pappelallee und Kastanienallee zu der legendären Armee von General Wenck zu stoßen, die reine Fiktion war. Die Panzer und die anderen Kraftfahrzeuge und das letzte Aufgebot sind dann an der Rosenthaler Straße liegengeblieben. In den Februartagen 45 ist mein Vater in der Slowakei schwer verletzt worden. Er wurde schon im April wieder kriegsverwendungsfähig geschrieben und ist dann desertiert. Meine Großmutter hat ihn im Keller dieser Eisenwarenhandlung versteckt und bei den Durchsuchungen, erst der SS und dann später der Russen, in einem großen Uhrenkasten im mit dunklen Gründerzeitmöbeln eingerichteten Herrenzimmer.

Eine Gruppe von Fallschirmjägern wollte an der Pappelallee, Ecke Stargarder Straße ein schweres Maschinengewehr installieren, um die Russen aufzuhalten. Meine Großmutter hat diese jungen Soldaten mit dem Schrubber weggejagt, sie sollten diesen Blödsinn lassen. Eine Salve aus einem T-34-Panzer, dann wäre alles weg gewesen.

Die Einschussnarben der Maschinengewehre, das Gelebte der Haut einer Stadt, eine Architektur, wo vorne besser gestellte Menschen wohnten, Beamte und Militärs, und hinten unendliche Mietskasernen waren, das kenne ich alles noch.

The Berlin of my childhood was a devastated city. The borders were still open, so on Sundays we'd often take the car and drive over to West Berlin, into a fashionable city where the scars of the war seemed pretty well healed.

I grew up in Prenzlauer Berg. We played in the ruins – as kids will when they see adventures and challenges, and not every place is up to code. Today at Helmholtzplatz or Kollwitzplatz the only problem is the rats; you'll get the plague, just like Camus. Back then everything was wild and overgrown.

My father had a hardware store, second, third generation, on Stargarder Straße at the corner of Pappelallee. That's where the last battles of Berlin took place in 1945. There was one final breakthrough of paratroopers, and some remaining armoured units tried to get up Pappelallee and Kastanienallee to reach General Wenck's legendary army – but that was just pure fiction. The tanks, the other motor vehicles and the last contingent were then stopped at Rosenthaler Straße. In February of '45, my father was severely wounded in Slovakia. By April he was declared fit for military service again, at which point he deserted. My grandmother hid him in the basement of the hardware store and, whenever there were searches, first by the SS and later the Russians, inside a large grandfather clock in a living room decorated with heavy 19th-century furniture. A group of paratroopers wanted to set up a heavy machinegun post at the corner of Pappelallee and Stargarder Straße in order to stop the Russians. My grandmother chased the young soldiers off with a mop, telling them to give it up. One salvo from a T-34 tank and they'd have been done for.

The bullet scars left behind by the machine guns, the lived skin of a city, an architecture which placed the better-off up front, all the clerks and professional military men, while behind them stretched an endless line of tenement buildings, I still remember all that.

I was born in 1951 and was supposed to go to a good secondary school in West Berlin in 1961. On 12 August, my grandmother and I were at the Humboldthain

Frank Castorf, 2013

Ich bin 1951 geboren und sollte 1961 aufs Gymnasium nach Westberlin kommen. Ich war am 12. August noch mit meiner Großmutter im Kino am Humboldthain und habe *Tarzan* geguckt. Und am frühen Morgen des 13. August fuhren die Panzer über die Wisbyer Straße in Richtung Bornholmer Brücke.

Da ich im Prinzip mit Jeans aufgewachsen bin, mit Mickey Mouse und *Der heitere Fridolin*, war ich, wenn man das so sagen kann, trainierter Antikommunist. Ich war es gewohnt, in dieser geteilten Stadt zu leben – die Heimat war Prenzlauer Berg –, aber regelmäßig das verruchte Westberlin zu sehen, mit den Alliierten, mit dem ganzen Amerikanismus, der mir damals schon als eine große Freiheit erschien, vom Kaugummi bis zur Currywurst, war ein Geschenk. Der 13. August, das war ein Schlag in die Fresse.

Mit zwölf oder dreizehn, in meiner Grundschulzeit, ist man wöchentlich in die Opern und Theaterhäuser gegangen. Die Vorstellungen gingen bis in den späten Abend, und da waren Jungs und Mädchen zusammen, das war natürlich auch ein erlaubter Abenteuerurlaub, den man immer weidlich ausgenutzt hat. Und da war man dann in den unterschiedlichen Häusern. Im Berliner Ensemble – immer noch im Geiste des berühmten Brecht und ein sehr gutes Theater – habe ich Stücke wie *Mann ist Mann* oder *Im Dickicht der Städte* gesehen. Das waren sehr besondere Inszenierungen, weil sie sich dem propagierten Menschenbild entzogen haben, einem sozialistischen Menschenbild, und einer

cinema watching *Tarzan*, and in the early morning of the 13th tanks drove over Wisbyer Straße in the direction of Bornholmer Bridge.

Seeing as that, in principle, I had grown up with jeans, Mickey Mouse, and *Der heitere Fridolin* comics, in a sense you could say that I was a pretty well-trained anti-communist. I had become used to living in the divided city – my home was Prenzlauer Berg – but getting the chance to regularly see wicked West Berlin with its Allies, with all that Americana, back then it all seemed to me to be the epitome of freedom, from chewing gum to *currywurst,* it was a real gift. August 13th was a punch in the mouth.

When I was around twelve or thirteen, once a week we'd visit the opera and theatre. The performances would go until late, and both boys and girls were there together, which, naturally, made it a kind of authorised adventure holiday that we thoroughly took advantage of. And you got to see the most disparate spaces. At the Berliner Ensemble – at that point still in the spirit of famous old Brecht and a very good theatre indeed – I got to see plays like *A Man's a Man* or *In the Jungle of Cities*. Those were really special performances, as they did away with the then-propagated idea of people, the socialist one, as well as one with that ideology's injunction to the theatre of contributing something to the new people in that new, socialist society. With Brecht you could always feel the wildness of his era.

Volksbühne am Rosa-Luxemburg-Platz, 1992

aus dieser Ideologie kommenden Aufforderung an das Theater, etwas beizusteuern zum neuen Menschen in dieser neuen, sozialistischen Menschengemeinschaft. Bei Brecht hat man immer das Wilde seiner Vergangenheit gespürt.

Die Volksbühne hatte in meiner Zeit als Schüler noch drei Ränge, es gab 1500 Plätze, vor dem Krieg waren es sogar 2000 gewesen, es war ein Riesenhaus. Man saß da im ersten Rang, man sah nicht gut, und man hat in *Kabale und Liebe* die Schauspieler mit Katapulten beschossen, was regelmäßig zum Abbruch der Vorstellung und zur Ermahnung führte, dass man sich so nicht benimmt – was mir heute einleuchtet, mich aber damals eher herausgefordert hat. Es waren aber berühmte Schauspieler wie Wolf Kaiser und Angelika Domröse. Das waren so Theatererlebnisse, aber auch sicherlich die Faszination, dass da Menschen etwas vorspielen, was mit der eigenen alltäglichen Wirklichkeit nicht viel zu tun hat. Also ein Traumreich, in das man sich hineinhalluzinieren konnte, und irgendwie muss das etwas hinterlassen haben.

In den 70er Jahren, als ich studierte, bin ich vom internationalen Geist, der an der Volksbühne herrschte, erzogen worden. Durch Benno Besson, durch sehr gute, sehr wilde Regisseure wie Heiner Müller, Manfred Karge und Matthias Langhoff. Es war ein besonderes Haus, man ist hierhergekommen und hat gemerkt, dass es außerhalb der DDR etwas anderes gab, eine Gemeinschaft in einer überschaubaren Architektur,

When I was still a student the Volksbühne had three tiers, there were 1,500 seats, before the war there were even 2,000, it was huge. We'd sit in the first tier, we couldn't see too well, and during *Cabal and Love* we'd shoot at the actors with our slingshots, which regularly led to the performance being interrupted and us admonished that that was no way to act – something which makes sense to me today, but which, back then, was more like a kind of challenge. There were famous actors like Wolf Kaiser and Angelika Domröse. They were theatrical experiences, but without a doubt there was also the fascinating notion that people were acting out something which had little to do with everyday reality. In other words, it was a kind of dream world you could hallucinate yourself into, and at some point that must have made its mark on me.

Studying in the '70s, I came of age with the international spirit leading the Volksbühne at the time: people like Benno Besson, very good, very wild directors like Heiner Müller, Manfred Karge, and Matthias Langhoff. It was a very special theatre, when you went there you realised that there was something outside of the GDR, a society that was visible in its architectural totality, which gave you a sense of security because it was so solid. I've always compared it to an armoured cruiser trying to break into an unknown world.

Thanks to all the people who came from around the world and who were invited there, thanks to what a Swiss communist and student of Brecht's like Benno

die einem Sicherheit gab, weil sie ja sehr massiv ist. Ich habe sie immer mit einem Panzerkreuzer verglichen, der versucht, in eine unbekannte Welt aufzubrechen. Durch die vielen Menschen, die aus der ganzen Welt kamen und hier eingeladen waren, durch die Möglichkeiten, die ein Schweizer Kommunist und Brecht-Schüler wie Benno Besson hatte, hielt das dann ein paar Jahre. Aber wie viele hat Besson dann die Kleinbürgerlichkeit dieses Staatssozialismus nicht mehr ausgehalten. Das war ja wie so ein stehender, stinkender Sumpf. Hölderlin sagt: »Komm ins Offene, Freund.« Dem hat immer die Offenheit gefehlt, »der Amazonas«, habe ich gesagt, also die Welt.

Als ich 1992 die Intendanz der Volksbühne übernommen habe, war das nur eine Erste-Hilfe-Maßnahme. Ich dachte mir, in dieser Kampfzeit wirst du das Haus übernehmen. Damals war ich Regisseur am Deutschen Theater und habe Dieter Mann, dem damaligen Intendanten versprochen, in zwei oder drei Jahren bin ich wieder zurück. Dann sind es etwas mehr als drei Jahre geworden.

Am DT hatte ich weiterführen können, womit ich in der tiefen Verbannung des Ostens, in Anklam, begonnen hatte, der Idee einer freien Produktionsgemeinschaft. Dass man Leute hatte, die man mochte, die man auch schützen wollte. Viele von denen waren gefährdet, durch Alkohol oder andere Suchterscheinungen. Andere wollten in den Westen. Alle waren eigentlich aus dem Kunstkreis verbannt, und man konnte sehr interessante, sehr schwierige Menschen dorthin holen. Geistige Arbeit und speziell die Kunstarbeit sind ein Modellfall freier Produktion. Man ist der Arbeitszeitlichkeit nicht ausgesetzt, man ist glücklich in der Arbeit. Bei uns wurden die Leute, die unten sind, wie Techniker und Schauspieler, nicht bestraft. Regisseure oder diejenigen, die Macht repräsentierten, wurden abgesetzt. Das polnische Modell der Solidarność war zweifellos ein Vorbild, das konnten wir in Anklam tatsächlich zwei, zweieinhalb Jahre praktizieren. Das war schon etwas Besonderes, weil es tatsächlich politisch antipodisch zu den Erwartungen des Systems war. Die Volksbühne war ein schöner Ort, der war groß, die Flasche war leer, Zuschauer gab es nicht. Also konnte man bei null beginnen. Leerer als leer geht nicht. Es war nie eine Kirche, es war nie eine Glaubensgemeinschaft. Aber wie jeder Fürst habe ich natürlich auch totalitäre Züge und sage, was ich möchte. Und als guter Anarchist, so wie Väterchen Machno, muss man so was machen, um sich anschließend selbst in Frage zu stellen. Und da werden wieder andere Menschen wichtig, und man diskutiert über Sachen oder trifft vielleicht auch Entscheidungen, die das Gegenteil des Schreibtisches sind.
Wichtig war zweifellos Bert Neumann. Mit dem haben wir hier 1988 angefangen mit einem Rimbaud-Abend, dem *trunkenen Schiff*, oben im 3. Stock. Dann haben wir 1990 *Die Räuber* gemacht, noch in der DDR. Nachdem ich die Intendanz übernommen hatte, haben sehr viele, sehr unterschiedliche Schauspieler begeistert

Besson was allowed to do, it lasted a few years. But, in the end, like many, Besson just couldn't handle the petit-bourgeois mentality of our state socialism any longer. It was like a stagnant stinking swamp. Hölderlin says, »Come into the open, friend.« Besson had always missed the open; »the Amazon« I said, in other words, the world.
When I took over as director of the Volksbühne in 1992, it was only as a kind of first-aid measure. I thought, at this difficult moment you'll be the house's caretaker. At the time, I was the director of the Deutsches Theater and had promised Dieter Mann, its then manager, that in two or three years I'd be back. In the end, it turned out to be a little longer.

At the Deutsches Theater, I could have continued what I started in the deep exile of the East, in Anklam, the idea of a free collective. You could have all the people you wanted there, people that you also wanted to protect. Many of them were in danger, either from alcohol or other addictions. Others wanted to go to the West. All of them were more or less banned from artistic circles, and so I could bring very interesting, very difficult people there.
Intellectual labour, and artistic labour in particular, is a perfect example of free production. You aren't constrained by working times, and you're happy in your work. With us, the people who were down the line, like technicians and actors, were not penalised. Directors or those who represented power were dismissed. The Polish model of Solidarność (Solidarity) was certainly a good model, we were able to practice it in Anklam for two, two-and-a-half years. That was really something special because, politically speaking, it was truly diametrically opposed to what the system was expecting. The Volksbühne was a beautiful place: it was big, the bottle was empty, it had no audience. Therefore you could start from scratch. Emptier than empty's impossible. It was never a church, it was never a religious community. But like every prince, naturally, I possess totalitarian traits and tell people what I want to see. But as a good anarchist, like Nestor Machno, you have to do something to then call yourself into question. And, at that point, other people become important again, and you discuss things or perhaps you take decisions that are the opposite of what you wrote down at your desk.
No doubt, Bert Neumann was crucial. In 1988, we started a Rimbaud evening with him here up on the 3rd floor, *The Drunken Ship*. Then in 1990 we did *The Robbers*, still GDR times, mind you. After I took over the direction, many very different actors enthusiastically joined in. Henry Hübchen was quite important, he played my alter-ego for a good 15 years, and Sophie Rois, or those who came to us later like Kathi Angerer or Martin Wuttke and Marc Hosemann. And Herbert Fritsch was there from the beginning. These are actors who have always possessed the determination to go their own ways. Not like the TV actor who switches from murderer to police chief and discovers his own

mitgemacht. Henry Hübchen ist wichtig gewesen, der hat als mein Alter Ego fünfzehn Jahre mitgespielt, ebenso Sophie Rois oder solche, die später dazugestoßen sind wie Kathi Angerer oder Martin Wuttke und Marc Hosemann. Auch Herbert Fritsch war von Anfang an dabei. Das sind Schauspieler, die immer die Entschiedenheit haben, ihren eigenen Weg zu gehen. Nicht wie der Fernsehschauspieler, der vom Mörder zum Kommissar wechselt und dann die Facetten an sich entdeckt. Facetten sind langweilig, der Mensch selbst ist wichtig, der in der Lage ist, etwas vorzuführen – in einer totalen Anarchie, aber mit der Fähigkeit, das immer wieder zu wiederholen, wie ein Opernsänger. Ein Opernsänger ist eigentlich, wenn er richtig bravourös ist, auch sehr anarchistisch und gleichzeitig ein Formspezialist, jemand, der etwas macht, was nur ganz wenige andere können. Es sind eigentlich Freischärler. Die natürlich in ihrem Egoismus auf so einer Bühne auch immer sich selbst in einer Regie vertreten wissen wollen.

Egal, wo ich arbeite, gibt es immer wieder einen Großteil von Leuten, die mit einer ungeheuren Begeisterung oder Obsession mitmachen. Und mit einer Schmerzunempfindlichkeit und Lust an der Überforderung. Überforderung ist wichtig, um in der Kunst anzukommen. Anders kann man es nicht machen. Sonst wäre es ja nur etwas, was sich so durchgesetzt hat, was einem Allgemeingeschmack entspricht, und ich wäre dann nur ein Verkäufer von Kunst. So wie mein Vater immer ein sehr breit gefächertes Sortiment an Eisenartikeln hatte in seinem Geschäft.

Wichtig ist, dass man der Produzent von Kunst wird. Viele Leute, die über Kunst schreiben, die denken ja, nur das, was an dem Abend passiert, ist wichtig. Nein, das ist eine glückliche Produktion, da gehören ganz viele Menschen dazu. Nur wenn man jeden von denen ernst nimmt, entsteht was Besonderes. Wie das nun ein Kritiker findet oder ein Zuschauer oder ein Politiker, war mir immer schnurz, scheißegal. Es ist auch viel Notwendigkeit darin, was im Moment passiert: Wenn ein Schauspieler mal auf eine Probe kommt, auf die er eigentlich gar nicht eingeladen ist, dann wird er eben integriert. Daraus entstehen die besten Sachen, weil sie vorher nicht gedacht waren.

Zum Beispiel, dass »OST« oben über der Volksbühne steht, dahinter wird immer etwas sehr Bedeutendes vermutet. Andreas Kriegenburg hat Mitte der 90er *Der gute Mensch von Sezuan* von Brecht gemacht, wo die Tabakindustrie eine große Rolle spielt. Wir haben in Dresden, wo die Zigarettenmarke Club produziert wurde, eine beliebte DDR-Filterzigarette, eine eigene Marke – OST – herstellen lassen und vertrieben. Die Buchstaben auf dem Dach sollten eigentlich wieder abgebaut werden, aber dann sind sie einfach geblieben.

different facets. Facets are boring; what is important is a human being who is capable of performing something – in total anarchy but with the skill to repeat it over and over again, like an opera singer. An opera singer, when they are really brilliant, actually also is very anarchic, while at the same time a specialist of form, someone who can do something very few others can. A kind of guerrilla specialist. One who, in their egoism, naturally always wants to see themselves reflected in how a director uses them on such a stage. It doesn't matter where I work, most of my collaborators always do so with an immense degree of excitement and obsession. And with a certain inability to feel pain coupled with a love of excessive demands. And excessive demands are important when it comes to getting anywhere in the world of art. There's just no other way. Otherwise you'd simply have something that got pushed through, that conforms to general taste and that, in turn, would make me nothing more than an art dealer. Not unlike the way my father always had a wide range of hardware to choose from in his shop.

What's fundamental is that you become a producer of art. Many people who write about art think that, yes, only that which happens on the evening is of importance. No, that's a lucky production, a whole lot of people have made that happen. Only when you take every single one of those people seriously does something special happen. Now, as to how a critic finds it, or an audience member, or a politician, I have never given a shit. There's a great amount of exigency in what happens in a single moment: when an actor comes to a rehearsal to which she or he wasn't actually invited, well, then we find a way to incorporate them. And this is the way some of the best things happen because they hadn't been considered before. For example, the »OST« up above the Volksbühne, people always think there's something really meaningful behind it. In the middle of the '90s, Andreas Kreigenburg did Brecht's *The Good Person of Szechuan*, a play in which the tobacco industry has a big role. The Club cigarette, a beloved filter cigarette in the GDR, used to be produced in Dresden, so we decided to have our own brand – OST – produced there and then put on sale. The three letters on the roof were supposed to be removed at some point but just ended up staying.

During the days of the GDR – thanks to Heiner Müller I had a passport which gave me the privilege of working in the West – whenever I'd travel back through the ghost U-Bahn stations of the East, the best thing was being able to see all the old posters that were still there from 1961; it was a memory hotel, a trip through another time. After the fall of the Wall, they immediately got painted white and pasted over with »Test the West« posters. What a feeling it would be if you could

Wenn ich, noch zu Ostzeiten – ich hatte einen Pass, den hatte ich über Heiner Müller bekommen, und hatte das Privileg, im Westen zu arbeiten –, vom Westen durch den Osten und durch diese Geisterbahnhöfe gefahren bin, war es das Schönste, sich die alten Plakate von 1961 anzusehen. Man hat diese alten Reklamen gesehen, die man im Osten gehabt hatte. Das war ein Erinnerungshotel, das war eine Fahrt durch eine andere Zeit. Das Erste, was man nach der Wende gemacht hat, war, die weiß zu pinseln und »Test the West« zu plakatieren. Was das für eine Sensation wäre, wenn man die heute erlaufen könnte. Und da wäre nichts nachgemacht, es wäre kein Fake, sondern das Original.

Auch wie mit so etwas Besonderem wie der Mauer umgegangen wurde – niemand würde das militärische Abwehrwerk der chinesischen Mauer abreißen wollen. In Berlin war man ganz schnell. Hier herrschte sofort Änderungswille, Straßen und Plätze wurden umbenannt. Heute merkt man, was so eine Mauer an Fantasie, auch an politischer, historischer Fantasie, freisetzt, wenn man davorsteht. Wie dieses Berlin gewesen ist, das ist jetzt nur noch in so ein paar Reservaten zu sehen.

Ich liebe Paris und den Boulevard de Stalingrad, niemand würde auf die Idee kommen, dort eine Metro-Station Wolgograd zu nennen, sondern es heißt Stalingrad. Das ist ein anderer Umgang mit Geschichte, der uns fern ist.

In dieser Stadt Berlin war früher wirklich Kunst vorhanden, hier hat es wirkliche Intellektuelle, wirkliche Künstler gegeben. Kunst kommt aus dem Dreck, aus dem Widerstand und nicht aus der Übereinstimmung. Das Inkriminieren von Konflikt zugunsten von Konsens ist völliger Unfug. Unser Denken, das natürlich aus der Antike, aus dem griechischen Denken um Pro und Kontra kommt, daraus entstehen Theaterstücke, wo der eine eine andere Meinung hat als der andere. Und daraus wiederum entsteht etwas wie eine Synthese, die Fabel einer Geschichte, ein Fazit oder Happy End.

walk through those stations today. And it wouldn't be fake, but the real thing. And just think about how they dealt with something as unique as the Wall – no one would dream of tearing down China's Great Wall. But in Berlin people got to it real quick. Here the desire for change took over immediately, streets and squares were renamed in no time. Today, you realise just how much a wall like that unleashes in terms of imagination, also political and historical imagination. And now that Berlin can only be seen in a few special »reservations«. I love Paris and the Boulevard de Stalingrad; no one would think of naming the Metro station there Wolgograd, it's Stalingrad. That's another way of handling history, which is quite distant to ours.

Once upon a time here in this city of Berlin there was true art, there were true intellectuals, real artists. Art comes up from filth, from resistance, not from agreement. Damning conflict in favour of consensus is complete nonsense. Our thinking, which of course comes from the ancient world, from the Greek thinking in dichotomies, that's where theatre pieces in which everyone has a different opinion come from. And through that something like a synthesis arises, the moral of a story, a conclusion or a happy end.

RATTEN
RATS

Für ein Theaterstück sucht der Regisseur Jeremy Weller Ende 1992 neben professionellen Schauspielern auch Obdachlose als Mitwirkende. Nach Ende der Produktion gründen sieben von ihnen eine eigenständige Gruppe und geben sich als Berliner Obdachlosentheater den Namen »Ratten 07«. Es folgen Einladungen zu Theatertreffen und Festivals in Deutschland und Europa. Das Projekt findet die Unterstützung der Volksbühne, deren Raum im 3. Stock die Gruppe zehn Jahre lang bespielt.

At the end of 1992, director Jeremy Weller had the idea of having professional actors and homeless people work together on a theatre production. Once it was finished, seven of them founded their own troupe and, as the Berlin Homeless Theatre, named themselves »Ratten 07«. Invitations to theatre festivals throughout Germany and Europe followed. The project found support from the Volksbühne, whose 3rd-floor space the group ended up using for ten years.

FOTOS **PHOTOS**
Ute Mahler

UM Hunni, Kurfürstendamm, 1993

Beginn des Theaterstücks / **Beginning of the theatre piece** *Mulackei,* Mulackstraße, 1993

Aufführung / **Performance** *Mulackei*, Mulackstraße, 1993

UM Aufführung / **Performance** *Mulackei*, Mulackstraße, 1993

FRANK CASTORF

Für *Pest* von Camus haben wir Leute zusammenge-
sucht, die von der Straße kamen oder die in Grenzbe-
reichen lebten, und das Stück mit Schauspielern und
Obdachlosen inszeniert. Der Regisseur Jeremy Weller
aus Schottland hatte schon Erfahrung mit solchen
Projekten.

For Camus' *The Plague* we got a group of people
together who were coming from the street or the
fringes of society and we staged the piece with both
professional actors and homeless people. Scottish
director Jeremy Weller had already had experience
with those kinds of projects.

Probe zu / **Rehearsals** *Woyzeck,* 1994

FRANK CASTORF

Das war ein sehr interessantes Projekt, und wir haben uns dann entschlossen, das in eine Kontinuität zu bringen. Natürlich ist so was sehr kompliziert – der Alkohol in der Kantine, man schläft dann natürlich in der Garderobe, man prügelt sich. Es waren sehr besondere Menschen, die aber durch ihre Eigenart gefährdet waren.

It was a really interesting project, and we then decided to give it greater continuity. Of course, something like that's a bit complicated – what with alcohol in the canteen, folks sleeping in the cloakroom, getting into fights. These were really special people, they were just being undermined by their own idiosyncrasies.

UM Probe zu / Rehearsals *Woyzeck*, Akademie der Künste, Luisenstraße, 1994

UM ↑ → Tourneebeginn, Busfahrt nach / **Beginning of the tour, bus trip to** Freiburg, 1993

Vorstellung / **Performance** in Freiburg, 1993

FRANK CASTORF

Wir haben ganz selbstverständlich gemacht, was ein Stadttheater normalerweise nicht macht. Wir sind umgegangen mit solchen Menschen, die sich in einem Extremzustand befinden, und wir konnten ihnen einen Ort, einen Raum geben, weil ich die Hoheit über diesen Raum hatte. Assistenten von mir haben die Idee dann weitergetragen – dass man Theater, so wie Musik, als ein therapeutisches Moment begreift, wo Menschen sich glücklicher oder überhaupt wahrgenommen fühlen.

Naturally, we did what no city theatre would normally do. We were engaging with people who found themselves in extreme conditions, and we provided them with a place, a space, and we could do so because I was in charge of it. Later, my assistants went on with this idea – this notion that theatre, just like music, can be understood as a therapeutic opportunity that helps people feel happier, like they're being seen.

Vorstellung / **Performance** *Warten auf Godot – Klammer auf Klammer zu*, Volksbühne, 1993

FRANK CASTORF

Wirklich traurig ist, dass fast alle von den »Ratten« der ersten Stunden auf der Strecke des Lebens geblieben und inzwischen gestorben sind. Natürlich war die Maschine Mensch so einer Selbstgefährdung nicht gewachsen.

It's really sad that almost all of the original »rats« stayed on the same life path and have since died. Naturally, the human machine is no match for such self-endangerment.

UM Probebühne der Volksbühne / **Rehearsal stage**, Karlshorst, Hunni & JKD, 1993

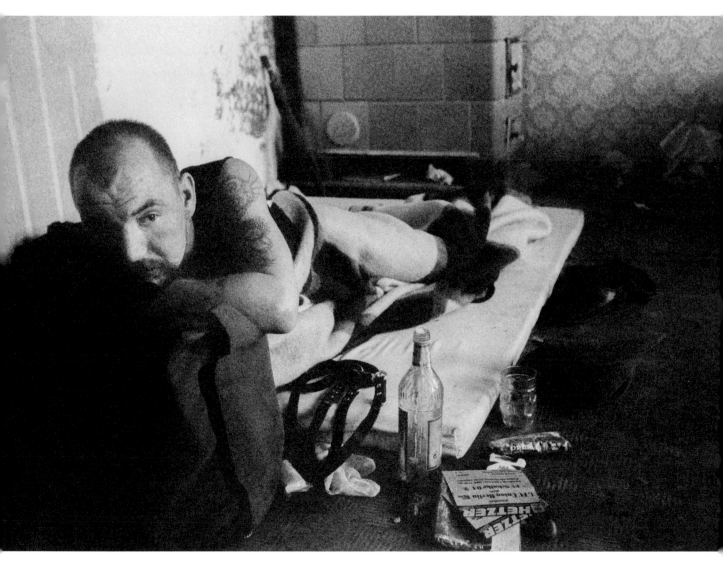

UM Hunni, besetztes Haus / **Squat** in Karlshorst, 1993

UM Peter, besetztes Haus / **Squat** in Karlshorst, 1993

CHRISTIANE RÖSINGER

Die Lo-Fi-Boheme
The Lo-Fi Bohème

Ich bin im Sommer 1985 nach Berlin gezogen, mit ganz klaren Vorstellungen und Erwartungen: Ich wollte eine Band, eine Wohnung und einen Freund.

Das mit der Band hat eine Weile gedauert, irgendwie hat sich hier nicht so richtig jemand für mich interessiert. Und auch eine Wohnung zu finden, stellte sich als schwierig heraus. Damals gab es in Westberlin eine regelrechte Wohnungsnot. Die Leute sind mitten in der Nacht aufgestanden, um sich die Zeitungen mit den Wohnungsannoncen zu kaufen. Manche haben Telefonzellen besetzt – man hatte ja noch keine Handys –, um möglichst schnell anrufen zu können. Als Studentin mit Kind und 700 Mark Bafög hat es schon lange gedauert, in Kreuzberg eine Wohnung zu finden.

Meine erste Band wurden dann die Lassie Singers. Ich hatte Dimitri Hegemann im Grex, einem Kreuzberger Club, kennengelernt, er hat mich ins Fischbüro in der Wrangelstraße eingeladen. Das Fischbüro kann man nicht richtig erklären, das war ein wöchentlich stattfindendes experimentelles Treffen, mit viel Trinken, aber auch großem Hang zur Forschung und Unterhaltung. Dort habe ich Almut kennengelernt. Wir kamen beide aus dem Schwarzwald und haben unglaublich gerne gesungen, wir waren regelrecht singsüchtig.

Unser erster Auftritt fand im Fischbüro statt. Dort gab es jeden Samstag ein Programm. Dimitri ist nach der Methode vorgegangen zu gucken, was so vor dem Fischbüro auf der Straße herumsteht – damals stand viel mehr auf der Straße als heute –, und das haben wir dann benutzt. Eines Tages hat er eine alte Bügelmaschine gefunden, die aber noch funktionierte, und einen Kasperletheater-Rahmen, und daraus haben wir dann die singende Musikbox gebaut. Die Bügelmaschine hatte ja eine Rolle, auf die haben wir Papier gespannt mit Titeln wie »Ein Schiff wird kommen« oder »Rote Lippen muss man küssen«, Schlager aus den 60ern eben. Almut und ich saßen nebeneinander geduckt in der Box, mit Mikrofonen und einem kleinen Verstärker. Im Pappgehäuse war zur Zuschauerseite hin ein Schlitz, da konnte man eine Mark reinwerfen und sich dann ein Lied aussuchen. Das kam natürlich total gut an. Die Leute warfen wie verrückt Markstücke

I moved to Berlin in the summer of 1985 with very clear ideas and expectations: I wanted a band, I wanted a flat, and I wanted a boyfriend.

The thing about a band took a little while, for some reason no one really seemed all that interested in me here. And finding a flat proved to be tough. At that point, in West Berlin, there was a real lack of places to live. People would get up in the middle of the night to go buy the newspapers with the housing ads. Some people even squatted in phone booths – there weren't any mobiles at the time of course – so that they'd be able to call as quickly as possible. As a student with a child and 700 marks in financial aid, it took a really long time to find an apartment in Kreuzberg.

My first band was the Lassie Singers. I'd met Dimitri Hegemann at Grex, a club in Kreuzberg, and he'd invited me to the Fischbüro on Wrangelstraße. You can't really explain the Fischbüro, it was a weekly experimental meeting point where there was a lot of drinking, but also a great tendency for experimentation and conversation. That's where I got to know Almut. We were both from the Black Forest and just loved to sing, we were outright addicted to it.

Our first gig took place there at the Fischbüro. Every Saturday they had a programme. Dimitri would go out front to have a look at what was laying around – back then there was a lot more out on the street – and then we'd use it. One day he found an old rotary iron that still worked and a cardboard children's hand-puppet theatre, and from the two we put together a singing music box. Around the roller we wrapped paper on which we'd written titles like »Ein Schiff wird kommen« or »Rote Lippen muss man küssen«, Schlager evergreens from the '60s in other words. Almut and I crouched next to each other in the box with microphones and a small amplifier. In the cardboard casing on the viewer's side was a slit for you to toss in a Deutschmark and choose a song. Naturally, it was quite a hit. People threw coins in like mad; the roller just kept turning. But that made the paper with the song titles so hot that it began to smoke and blacken. And so our first appearance came to

Christiane Rösinger, 2005

ein, die Rolle drehte sich ständig. Dadurch wurde aber das Papier mit den Titeln so stark erhitzt, dass es rauchte und verkohlte. Und so ist unser erster Auftritt unter Todesängsten zu Ende gegangen. Aber es war der Beginn der Lassie Singers.

Zuerst hat uns natürlich niemand ernst genommen. 1987 in Kreuzberg gab es Rock- und Punkbands, Jingo de Lunch waren bekannt oder Strangemen. Was wir machten, drei Frauen, deutsche Texte, das passte überhaupt nicht rein, Schlagerfotzen hat man uns genannt, liebevoll natürlich.

Im Fischbüro hatten die Jungs immer irgendwelche Bands und Projekte und die Frauen standen hinterm Tresen und machten den Putzplan. Das hat Almut und mich total gefuchst und so haben wir beschlossen, auch ein Demo zu machen. Das haben wir dann an alle Indie-Labels geschickt, aber keine Antwort bekommen. Daraufhin haben wir uns an die Major-Labels gewandt und tatsächlich von zwei Labels eine Rückmeldung erhalten. So sind wir dann bei CBS, heute Sony, gelandet. Als mit *Die Lassie Singers helfen Dir* 1991 unsere erste Platte erschien, war Berlin schon mauerlos.

Anfangs hat mich all das, was in Ostberlin nach der Wende an Subkultur entstand, nicht so sehr interessiert. Mir kam das alles so oldschool vor. Ich bin 91 oder 92 rum mal zum Tacheles gegangen, da saßen Typen in Flokatiwesten im Kreis ums Lagerfeuer und haben Rotwein aus der Flasche getrunken und an Schrottskulpturen herumgeschweißt. Das kannte ich schon aus der Kreuzberger Hausbesetzer- und Punkszene, das fand ich nicht besonders aufregend.

an end with us fearing for our lives. But that was the start of the Lassie Singers.

Of course, no one took us seriously at first. In 1987, there were rock bands and there were punk bands in Kreuzberg, bands like Jingo de Lunch or Strangemen. What we were doing, three women, German lyrics, that just didn't fit, they called us the »Schlager cunts«, in a loving way, obviously.

At the Fischbüro the guys always had some kind of band or project going on while the women would stand behind the bar and come up with the cleaning schedule. That really got to Almut and me, and so we decided to make a demo too. We sent it to all the indie labels, but got no responses. After that, we turned to the major labels and actually got a reply from two of them. And that's how we ended up on CBS, today Sony. By the time our first album, *Die Lassie Singers helfen Dir*, came out in 1991, Berlin had become Wall-less.

At the beginning, right after the fall of the Wall, the subculture coming out of East Berlin didn't interest me that much. It all seemed a bit too old school to me. In '91 or '92, I went over to Tacheles and just found a bunch of guys sitting around a fire in a circle wearing flokati vests, drinking red wine out of the bottle, and welding sculptures out of scrap. I knew all that from the Kreuzberger squatter and punk scene already, it wasn't all that exciting.

But then, in the middle of the '90s, it slowly dawned on me that a lot was going on in Mitte, that with all the clubs, bars, and performance spaces it had become

Aber dann, Mitte der Neunziger, wurde mir so langsam klar, dass das Ausgeleben in Mitte stattfindet, dass hier nun der interessanteste Ort Berlins war mit all den Clubs, Bars und Veranstaltungsorten. Mein Lieblingsclub wurde die Galerie berlintokyo in der Rosenthaler Straße nahe am Hackeschen Markt. Jan Müller von Tocotronic – eine Band, mit der ich befreundet war – legte dort auf, und ich dachte, das ist ja mal eine Gelegenheit, sich das anzugucken. So bin ich zum ersten Mal ins berlintokyo, und ich muss sagen, das war Liebe auf den ersten Blick. Es war ein Konzept, das ich total super fand. Jeden Samstag geöffnet, ein Treffpunkt, wo immer irgendwas los war, für wenig oder gar keinen Eintritt. Ich musste mich mit niemandem verabreden, es waren immer alle da, es gab immer was zu sehen. Wenn das Konzert zu wirr oder zu schlecht oder die Installation zu komisch oder die Ausstellung zu nichtssagend war, ist man rausgegangen in den Hof und hat neben einem Müllberg herumgestanden. Ich habe ganze Sommer lang draußen im Hof gestanden. Doch eines Tages hat, wie fast alles in Mitte, auch das berlintokyo dichtgemacht.

Die Flittchenbar wurde eigentlich nur gegründet, weil ich mir ein Leben ohne die galerie berlintokyo nicht mehr vorstellen konnte. Es ist ja so, man muss einfach alles selber machen. Viele hatten gesagt, wart's ab, es wird wieder was Neues geben. Aber es nützt nichts zu warten, schon 96/97 gab es nicht mehr so viel Neues in Mitte. Also haben Almut von den Lassie Singers, Karla, eine andere Freundin und ich gesagt, dann müssen wir halt selbst was aufmachen. Ein Freund hat uns erzählt, dass am Ostbahnhof ein neuer Club eröffnen sollte. Wir sind dann als offizielles Bewerbungskomitee da hingefahren und haben uns mit Ben de Biel und zwei seiner Mitstreiter getroffen. Wir haben ihnen erklärt, dass wir gerne einmal in der Woche einen Club machen würden, und als sie hörten, dass wir auch Konzerte und Lesungen planen, waren sie sofort einverstanden. Ben meinte, wir könnten den ersten Stock dafür nutzen – es war ja ein Hochhaus, man hätte eigentlich zehn Clubs übereinander machen können –, und damit war die Flittchenbar gegründet.
Damals fand ja in der Popkultur grade diese Bitchisierung statt, jede Musikerin wollte so eine coole Bitch sein, das fand ich albern und dachte, Flittchen ist doch eine total schöne ironische Antwort auf die Rockbitch. Am Anfang kamen immer nur zwei Gäste, die Kreuzberger Band Die Vermoosten Flöten, und wir waren hinter dem Tresen mehr Leute als vor dem Tresen. Aber die Flittchenbar in der Maria hat sich dann schnell zu einem großen FreundInnentreffen entwickelt. Die Maria am Ostbahnhof war außerdem ein sehr romantischer Ort, man konnte aus den großen Fenstern auf die Eastside Gallery gucken. Und so wurde die Flittchenbar ein bisschen zum Geheimtip und sehr erfolgreich. Nicht finanziell, denn es gab ein ausgeklügeltes System in Mitte: An jedem Wochentag gab es eine Bar – also die Montagsbar, die Dienstagsbar usw. –, da ist man regelmäßig hin und hat umsonst getrunken,

the most interesting place in Berlin. My favourite club became the berlintokyo gallery on Rosenthaler Straße near Hackescher Markt. Jan Müller from Tocotronic – a band I was friends with – was DJing there, and so I had an excuse to go have a look. And that's how I ended up at berlintokyo for the first time and, I have to say, it was love at first sight. It was a concept that I just found really great. Open every Saturday, a meeting place where something was always going on, and for just a small door charge or no door charge at all. I didn't have to plan to meet anyone there, they'd just be there, and there was always something to see. When the concert was too chaotic or just plain bad, the installation too off or the exhibit too meaningless, you just went out into the inner courtyard and stood around next to the pile of trash. I spent a whole summer long out in the courtyard. But then, one day, like almost everything in Mitte, berlintokyo shut its doors too.

The Flittchenbar (the Floozy Bar), in fact, really was only founded because I could no longer imagine a life without berlintokyo. That's just the way it is, you just have to do everything yourself. A lot of people said, »Just wait, something new will show up again.« But there's no point in waiting around, already in '96/'97 there wasn't anything all that new in Mitte anymore. So, Almut from Lassie Singers, Karla, another friend, and I said, »We've just got to do something ourselves.« A friend had told us about a new club opening up at Ostbahnhof, Maria. We went over there as the official committee, and met with Ben de Biel and two of his fellow comrades-in-arms. We explained to them that we wanted to run a weekly club, and when they heard that we were also planning to have concerts and readings, they immediately agreed. Ben told us we could use the first floor – it was a high-rise, there could've been ten clubs one on top of the other – and that's how the Flittchenbar came about.
Back at that point in time in pop culture, that whole »bitchification« thing was happening; every female musician wanted to be such a cool bitch. I found it childish and thought, »A floozy really is a nice, ironic response to the rock bitch.«
At the beginning, we only ever had two guests, the Kreuzberger band Die Vermoosten Flöten, and there were always more of us behind the bar than out in front of it. But the Flittchenbar in der Maria quickly turned into a cool place to hang out. What's more, Maria am Ostbahnhof was a really romantic place; you could look out the big windows onto the Eastside Gallery. And so the Flittchenbar became an underground hotspot and a real success. Not financially, mind you, because there was an ingenious system in Mitte: Every day of the week had its own bar – in other words, the Monday bar, the Tuesday bar, etc. – where you'd go and drink for free, but when the people who ran those bars came to us on Wednesdays, well, naturally, they also drank for free. And so everyone just drank everywhere for free. There was always a great

wenn aber die Barbetreiber mittwochs zu uns in die Flittchenbar kamen, haben sie natürlich auch bei uns umsonst getrunken. Und so haben alle überall umsonst getrunken. Es war immer total gute Stimmung, und alles war toll, aber die Kasse war immer leer.

Die Flittchenbar in der Maria hat es bis 2000 gegeben, dann sollte das Gebäude abgerissen werden, und wir mussten ausziehen. Die Maria ist ein paar Meter weiter gezogen, aus Maria am Ostbahnhof wurde Maria am Ufer. Aber die Flittchenbar hat es wie alle guten Sachen nur eine Zeit lang gegeben. Meine Kolleginnen hatten andere Projekte, und ich habe den wöchentlichen Exzess sowieso nicht mehr so gut vertragen, so ist es dann zu Ende gegangen.

Nach dem Ende der Flittchenbar am Ostbahnhof musste man sich wieder selbst ums Ausgehvergnügen kümmern. Die Zeiten hatten sich geändert, es wurde alles so wahnsinnig legalisiert und auch professionalisiert. Wir hatten sogar Angebote, die Flittchenbar woanders zu machen, aber die wollten nur ein Geschäft machen und unsere Credibility zur Gewinnmaximierung nutzen. Das war natürlich mit den Leuten von der Maria ganz anders gewesen. Außerdem bin ich Unterhalterin und keine Gastronomin. Ich konnte mir nicht vorstellen, jetzt so straight eine Bar zu machen und den Leuten, die daran verdienen wollten, ihr Programm zu liefern.

Also habe ich mich erstmal um meine Band Britta gekümmert und habe angefangen zu schreiben. Ich habe mich im Journalismus versucht und mehrere Bücher geschrieben, weil ich dachte, das sei eine gute Art, um Geld zu verdienen. Es ist ja ziemlich schwer, sich mit Musik über Wasser zu halten.

Ich habe das Leben geführt, das ich mir immer gewünscht hatte, aber ich habe auch gemerkt, welchen Preis das hat. Eigentlich bin ich Musikerin geworden, weil ich dachte, dann muss ich nicht so viel arbeiten. Aber gerade wenn man keinen Brotberuf hat, muss man umso mehr auch in schlecht bezahlten Jobs arbeiten. Man lebt in einer Art selbst gewählter Boheme, aber die ist ganz niedrigschwellig und bedeutet Ofenheizung, keine Versicherungen und die ständige Ungewissheit, wie lange das Geld noch reicht. Ich nannte das in einem Text »Die Lo-Fi-Boheme«. Ein Merkmal der Lo-Fi-Boheme ist auch, dass man sich ab und zu nach langweiliger und regelmäßiger Arbeit sehnt, nach einem Grund, morgens aufzustehen. Wenn man sein eigener Chef ist, ist es total schwierig, sich zu disziplinieren. In der Zeit um 2006 war es so, dass auf einmal alle in meinem Umfeld das Arbeiten entdeckt haben. Alle haben sich auf einmal sehr über Arbeit definiert, sind in ihren Büros und Projekten und kleinen Firmen aufgegangen. Nur bei mir hatte sich nicht so viel verändert, ich hatte unglaublich viel Zeit. Ich habe gemerkt, dass das Leben, das ich führe, überhaupt nicht mehr in die Gesellschaft passt. Ich hatte keinen Feierabend, ich hatte kein Wochenende, für mich war immer alles eins. Und doch ist dieser andere Umgang mit Zeit für mich wichtig.

atmosphere and everything was fantastic, but the till was always empty.

The Flittchenbar in der Maria lasted up until 2000, then the building was scheduled for demolition and we had to go. Maria am Ostbahnhof moved just a few metres away and became Maria am Ufer. But the Flittchenbar, like all good things, lasted only a little while. My colleagues had other projects, and I also couldn't handle the weekly excess any longer, and so things came to end.

After the Flittchenbar am Ostbahnhof was gone, it was back to square one and I had to start thinking about where to go out myself. Times had changed, everything was becoming legalised and professionalised. We even had offers to do the Flittchenbar in other places, but all those people just wanted to make money and use our credibility for maximum profit. It obviously had been a completely different story with the people from Maria. On top of it, I'm in entertainment, not gastronomy. I couldn't imagine it, running a bar in such a straight way, just delivering a routine to the people who wanted to make a profit out of it.

So, at first I concentrated on my band Britta and then I began to write. I tried my hand at journalism and wrote a number of books because I thought that'd be a good way of earning money. It's pretty tough to keep your head above water playing music.

I've led the life I always wanted to, but I've also seen the price you have to pay for it. To be honest, I became a musician because I thought I wouldn't have to work all that much. But when you don't have a steady day job, you have to have a whole lot of poorly paid jobs. You live in a kind of self-chosen bohemia, but one with low-level prospects and that means stove heating, no insurance, and a constant uncertainty about how long the money will hold out. In a text of mine I called it »The Lo-Fi Bohème«. Another feature of the Lo-Fi Bohème is that now and again you long for a boring and regular job, for a reason to get up in the morning. When you're your own boss, it's really difficult to establish some sense of discipline.

Around 2006, all of a sudden all the people I knew discovered work. Suddenly everyone was defining themselves through their work, they'd go off to their offices and projects and businesses. I was the only one with a life that hadn't changed all that much, I had an unbelievable amount of time on my hands. I noticed that the life I led no longer fit into society whatsoever. »After work« didn't exist for me, I didn't have weekends; things for me were always the same. And this different way of being in time is important to me. Without any doubt I've dreamt away a quarter of my life on the sofa, but I need that too. Writing is such a lonely, unpleasant thing – sitting there all the time, unhappy all the time, then working through everything one more time. But to be able to write a song you truly need to throw boredom and indolence into the mix – and that's when, sometimes, the songs come to you just like that.

Christiane Rösinger, Volksbühne, 2015

Ich habe bestimmt ein Viertel meines Lebens auf dem Sofa verträumt, aber ich brauche das auch. Das Schreiben an sich ist ja so eine einsame, unschöne Sache – immer dasitzen, immer unzufrieden sein, immer wieder alles überarbeiten. Aber das Songschreiben, da braucht man schon Langeweile und Müßiggang dazu – und dann fliegen einem die Lieder manchmal einfach so zu.

2010 habe ich die Flittchenbar wieder ins Leben gerufen. Eine Bekannte schrieb mir eine Mail, es gäbe ein paar Leute, die würden am Kotti einen neuen Club machen, und ob ich mir vorstellen könnte, dort mal eine Lesung oder ein Konzert zu machen. Ich hatte Zeit und bin da mal hingedackelt und habe mir von Richard, einem der Chefs, alles zeigen lassen. Es war vom Gefühl her ein bisschen wie früher in der Maria, sympathisch und unkompliziert. Ich habe Richard von der früheren Flittchenbar erzählt, und wir haben beschlossen, das einmal im Monat zu machen.

Das war eine sehr gute Entscheidung zur richtigen Zeit, denn 2010 kam einiges zusammen: Meine erste Soloplatte kam raus, der Club Südblock war neu, die Flittchenbar im Südblock auch, ich hatte ein bisschen Promo durch die Platte, und so wurde die Flittchenbar ein großer Erfolg. Am Eröffnungsabend stand eine lange Schlange vom Club bis zum Kottbusser Tor. Es war so, als hätten die Leute nur auf so was gewartet.

In 2010, I brought the Flittchenbar back to life. An acquaintance of mine wrote me an email telling me that there were a few people who wanted to open a new club at Kotti and asking me if I could imagine giving a reading or a concert there. I had the time, so went on over and had Richard, one of the bosses, show me around. It felt a little like it once had at Maria, pleasant and uncomplicated. I told Richard about the old Flittchenbar, and we decided to do it once a month.

That was a really good decision and at just the right time because in 2010 a number of things came together: my first solo album came out, the Südblock club was new, the Flittchenbar there was new too. I got a bit of promotion thanks to the album and so the Flittchenbar became a huge success. On opening night, a line stretched from the club all the way to Kottbusser Tor. It was as if people had been waiting for something like that. The Flittchenbar is always a kind of gala event with three or four bands and me as the emcee leading the way through the programme, then the »Name that Tune« quiz, and a DJ to finish up the night – and up until today that has worked out really well.

I had made up my mind, without making any big deal about it, that at all times at least 50 per cent of the people on stage would be women. Sometimes it's turned out to be 100 per cent, but that's not all that tough to do. And all those bookers who maintain,

Die Flittchenbar ist immer eine Gala, mit drei oder vier Bands und mir als Galaistin, die durch das Programm führt, dann das Quiz »Erkennen Sie die Melodie« und zum Abschluss ein DJ – und das funktioniert bis heute sehr gut.

Ich hatte mir vorgenommen, ohne es groß plakativ zu verkünden, dass ich immer mindestens fünfzig Prozent Frauen auf der Bühne habe. Manchmal waren es dann auch hundert Prozent, das ist überhaupt nicht schwierig. Und alle Booker die behaupten: »es gibt ja keine Frauen«, haben es nur nicht probiert.

In der Zeit, als ich beschlossen habe, Musikerin zu werden, gab es kaum Frauen in der Szene. In meiner ersten Band im badischen Rastatt waren zwei oder drei Gitarristen. Das hat dann dazu geführt – ich habe ja die Texte und die Melodien gemacht –, dass ich nur dazu da war, um die Stille zwischen zwei Solos mit Gesang zu füllen. Später habe ich gemerkt, dass es mit Frauen in der Band einfach lustiger ist, und mich seither eher mit Frauen zusammengetan.

Ich habe dreißig Jahre oder noch länger angekämpft gegen diesen Sexismus und diesen Ageismus im Musikgeschäft. Es gibt noch heute mit öffentlichen Geldern finanzierte Festivals, da treten zu achtundneunzig Prozent Männer auf. Ich hatte es als meine Aufgabe angesehen, diese absurden Geschlechterverhältnisse wenigstens in meinem Umfeld zu ändern und andere Frauen zu unterstützen. Männer muss man nicht unterstützen, die unterstützen sich selber, die haben ihre Netzwerke. Deswegen müssen wir eigene Netzwerke bilden.

Zum Glück gibt es ja immer wieder neue, jüngere Frauen, die Bands gründen und Musik machen und diesen Kampf weiterführen werden. Auch wenn es mühsam ist und man kein Geld damit verdient – Musik machen und in einer Band sein, macht einfach sehr viel Spaß, und es wäre dumm, eine so tolle Sache einfach dem anderen Geschlecht zu überlassen.

»There just aren't any women«, just haven't tried. Back when I decided to become a musician, there were hardly any women in the scene. In my first band back in Rastatt, Baden-Württemberg, there were two or three guitarists. Which – as I wrote the lyrics and melodies – meant that I was only really there to fill the silence between solos with vocals. Later on I noticed that it's more fun to be in a band with women and, since then, I've always jumped at the chance.

I've been fighting against sexism and ageism in the music business for thirty or more years now. Even today there are still festivals funded by public money where 98 per cent of the performers are men. I saw and still see it as my duty, at least in my area, to change these absurd gender relations and to support other women. You don't have to support men; they support themselves, they have their networks. That's why we've got to build up our own networks.

Thankfully there are always new, younger women out there who'll form bands and make music and carry on the fight. Even if it's exhausting, and you don't make any money from it – making music and being in a band is just a lot of fun and it'd be stupid to leave such a wonderful thing like that to the other sex.

SPUREN DER STEINE

TRACES OF STONE

Die Gesellschaft befindet sich im Wandel. Was für die einen zum vielbeschriebenen Möglichkeitsraum wird, ist für die anderen eine ungewisse Zukunft mit unbekannten Vorzeichen. Die Symbole der alten Macht werden entsorgt, eine potemkinsche Fassade wirbt für den Wiederaufbau des Stadtschlosses. Auch vielstimmiger Protest kann den Abriss des Palastes der Republik nicht verhindern. Die Entwicklung des Stadtraums wird nach Kaufkraft entschieden, der Erhalt sozialer und kultureller Vielfalt spielt dabei lange keine Rolle.

Society is in flux. Where some see that oft-praised space of possibility, others see only an uncertain future filled with indecipherable signs. The old symbols of power are being removed, while a Potemkin façade serves as a billboard for the reconstruction of the old city palace. Even mass protests could not save the Palast der Republik from being demolished. The development of the city was to be decided by purchasing power alone, any lip service to the preservation of social and cultural diversity long forgotten.

FOTOS **PHOTOS**
Hendrik Rauch ~ Philipp von Recklinghausen
Markus Werner ~ Rolf Zöllner

Zirkuselefant im / Circus elephant in Mauerpark, 1992

RZ Oranienburger Straße, 1994

Heiner Müller, Dramatiker, in der Wochenpost:

"Zehn Deutsche sind natürlich dümmer als fünf Deutsche."

Fragen Sie danach. Jeden Donnerst

Johannes Mario Simmel – Erfolgsschriftsteller und ökologischer Prophet. Seite 39

Wochenpost 8

ZEITUNG FÜR POLITIK · KULTUR · WIRTSCHAFT · UNTERHALTUNG

Wo alle

RZ Heiner Müller, 1992

MW ↑ »Palast des Zweifels« / »**Palace of Doubt**«, Lars Ø Ramberg, Palast der Republik, 2005 ↓ Schloss-Attrappe / **Castle-Dummy,** 1994

MW ↑ Schloss-Attrappe / **Castle-Dummy**, 1994   RZ ↓ Palast der Republik, 1990

RZ ↑ → Abriss / **Destruction of the** Palast der Republik, 2007

RZ Abriss / **Destruction of the Palast der Republik, 2008**

Alexanderplatz, 1993

SASHA WALTZ

Das dialogische Prinzip
The Dialogic Principle

Ich bin Anfang der 90er Jahre nach Berlin gekommen, weil ich nach einem Aufbruch gesucht habe, den ich in Amsterdam und New York, wo ich Tanz und Choreografie studiert hatte, nicht fand. In Berlin gab es nach der Wende eine veränderte Energie. Es kamen sehr viele Künstler zusammen, und es gab Raum, der bezahlbar war. Der Mauerfall hatte eine Leerstelle erzeugt, die neu gefüllt, geistig und künstlerisch neu bestimmt werden konnte.

Ich bekam für einige Monate ein Stipendium im Künstlerhaus Bethanien in Kreuzberg. So hatte ich zum ersten Mal in meinem Leben ein eigenes Studio und damit einen Ort, wo ich jeden Tag zu jeder Uhrzeit arbeiten konnte. Das Projekt, mit dem ich mich beworben hatte, hieß *Dialoge*. Ich habe dafür Künstler aus verschiedenen Disziplinen – Tänzer, bildende Künstler und Musiker – zusammengebracht, mit denen ich in kurzen Probephasen Dialoge erarbeitet habe, die dann im Künstlerhaus Bethanien zur Aufführung kamen. Nach dem Künstlerhaus Bethanien hatte ich mein Studio für einige Monate in den noch völlig maroden Hackeschen Höfen, im Ostteil der Stadt. Es war eine sogenannte Zwischennutzung, und in den Räumen habe ich *Twenty to eight*, den ersten Teil der *Travelogue*-Trilogie, entwickelt.

Oben in den Hackeschen Höfen gab es für etwa ein Jahr einen Aufführungsort, wo wir auch aufgetreten sind. Zu der Zeit habe ich Jochen Sandig kennengelernt, das war im Herbst 1993, und wir hatten die Idee, diesen Raum gemeinsam in ein Tanzzentrum zu verwandeln. Wir haben einen Antrag beim Kultursenat gestellt, der aber abgelehnt wurde. So gab es keinen Tanzraum.

Nach den Hackeschen Höfen hatte ich kurz ein Studio im Podewil, danach sind wir in ein Haus in der Burgstraße gezogen – unten war der Club WMF und darüber unser Tanzstudio. Doch die Räume waren sehr niedrig, und ich wollte zu der Zeit ein Stück machen, für das ich Höhe brauchte. So sind wir auf die Suche nach einem geeigneten Raum gegangen. Gleichzeitig lief der Vertrag in der Burgstraße aus, weil sie das Haus abreißen wollten. Von Jutta Weitz, die damals bei der

I came to Berlin at the beginning of the '90s looking to get the break I hadn't been able to get in Amsterdam or New York, where I'd studied dance and choreography. There was just such a different energy in Berlin after reunification. So many artists were coming together and there were so many affordable workspaces. The fall of the Wall had opened up an empty space that could be filled, and intellectually and artistically determined, in totally new ways.

I'd won a residency at the Künstlerhaus Bethanien in Kreuzberg for a few months. And so, for the first time in my life, I had my own studio and with it a place where I could work at any time I wanted. The project I'd used in my application was called *Dialogue*. In it, I brought together artists from various disciplines – dancers, visual artists, musicians – and worked with them in small rehearsal discussions, which were then turned into performances at Bethanien. After that, I had my studio in the eastern part of the city for a while, in the at that time completely dilapidated Hackeschen Höfe – it was one of those »interim use« arrangements. And it was there that I developed *Twenty to Eight*, the first part of the *Travelogue* trilogy.

For about a year there was a kind of performance space upstairs at the Hackeschen Höfe where we'd also appear. That's when I got to know the cultural entrepreneur Jochen Sandig, it was in the autumn of 1993, and we had the idea of turning the space into a dance centre. We submitted a proposal to the Senate Department for Culture, but it was rejected. So: no space for dance.

After the Hackeschen Höfe, I had a studio at Podewil in Mitte for a short time and, after that, we moved to a building on Burgstraße: downstairs was the WMF club and upstairs our dance studio. The rooms had pretty low ceilings, and at that point I was interested in doing a piece that required a lot more space. So once again we went looking for a location that would be more appropriate. Right at the same time, our contract on Burgstraße came to an end as the building was going to be to torn down. Jutta Weitz, then head of commercial spaces for the Housing Association of Mitte, told

Sasha Waltz, 2011

Wohnungsbaugesellschaft Mitte für die Gewerberäume zuständig war, sind wir auf ein ehemaliges Handwerkervereinshaus in der Sophienstraße aufmerksam gemacht worden. Die Werkstätten des Maxim Gorki Theaters gingen dort gerade raus, und so haben Jochen Sandig und ich gemeinsam mit Dirk Cieslak, Jo Fabian und Zebu Kluth die Sophiensæle gegründet. Das Gebäude war komplett leer, es gab keine Stühle, keine Technik, wir haben den Ort aus dem Nichts entwickelt. Es war unheimlich viel Raum, den wir da füllen mussten, der Festsaal, der Hochzeitssaal, die Kantine, die Büroräume, die unterschiedlichen Ballettsäle. Es war aber auch eine unglaubliche Möglichkeit, künstlerisch eine eigene Sprache zu finden und uns unser Publikum aufzubauen.

Die Sophiensæle wurden für die nächsten vier Jahre unser Studio, und erstmalig hatten wir damit auch eine eigene Spielstätte. 1996 haben wir sie mit *Allee der Kosmonauten* eröffnet.

Nach der *Travelogue*-Trilogie, deren dritten Teil wir 1995 im Theater am Halleschen Ufer uraufgeführt hatten, hatte ich das Gefühl, ich drehe mich in meinem künstlerischen Kosmos im Kreis. Ich wollte meinen Blickwinkel erweitern und mich mehr mit der Realität der Stadt auseinandersetzen. Der Osten der Stadt war mir noch unbekannt, und so habe ich mich entschlossen, eine Recherche über Marzahn zu machen.

us about a former craftsmen association building on Sophienstraße. The Maxim Gorki Theater workshop was just moving out, so together with Dirk Cieslak, Jo Fabian, and Cebu Kluth, Jochen Sandig and I founded the Sophiensæle.

The complex was completely empty, no chairs, no sound or lighting, we created it out of nothing. We had an incredible amount of space to fill, the banquet room, the wedding hall, the cafeteria, the offices, all the various ballrooms. But at the same time it was an unbelievable opportunity for us to find our own artistic voice and to build up our audience.

The Sophiensæle would be our studio for the next four years, and, for the first time, our very own venue. We inaugurated it with *Allee der Kosmonauten*.

After the *Travelogue* Trilogy, the third part of which we debuted in 1995 at the Theater am Halleschen Ufer, I felt I was spinning around in circles within my creative universe. I wanted to expand my perspective and confront the reality of the city more intensely. The eastern half of the city remained completely foreign to me, so I decided to begin researching the area of Marzahn. I started ringing doorbells in a stairwell of one of the Plattenbau high-rises on Allee der Kosmonauten (Avenue of the Cosmonauts) and asking people if I could interview them. Our discussions had to do with dance, what kind of relationship people had to dance, but

Körper, 2000

Ich habe in einem Aufgang der Plattenbausiedlung in der Allee der Kosmonauten geklingelt und die Leute gefragt, ob ich Interviews mit ihnen führen könnte. Inhaltlich ging es in den Gesprächen um Tanz, darum, was sie für eine Beziehung zum Tanz haben, aber auch zu ihrem Umfeld, ihrem Zuhause, ihrer Familie. Anfangs war die Situation schwierig, und es gab viel Ablehnung. Aber dann hat sich ein Ehepaar geöffnet, und das war wie ein Schlüssel zu dem ganzen Haus. So konnte ich mehrere Familien interviewen und gemeinsam mit Elliot Caplan, einem Videokünstler aus New York, Aufnahmen in den Wohnungen machen. Diese Videos sind als dokumentarisches Moment in die Aufführungen eingeflossen, während ich auf Grundlage der Interviews das Portrait einer fiktiven Familie choreografiert habe. Wir sind mit *Allee der Kosmonauten* weltweit getourt. Und interessanterweise gab es in den unterschiedlichsten Kulturen Anknüpfungspunkte, sei es durch vergleichbare Siedlungsprojekte oder die universelle Thematik der Familie.

Auf *Allee der Kosmonauten* folgten die Stücke *Zweiland* und *Na Zemlje*. Und danach war für mich diese epische, erzählerische Herangehensweise abgeschlossen. Ich war zu dem Zeitpunkt zum ersten Mal Mutter geworden, und es war für mich insgesamt ein Moment der Neubestimmung.

Bevor wir die Sophiensæle verlassen haben, um an die Schaubühne am Lehniner Platz zu gehen, haben wir 1999 zwei *Dialoge*-Projekte gemacht, eines in den Sophiensælen und eines im Jüdischen Museum.

we also talked about their surroundings, their homes, their families. At first, the situation was a bit difficult; a lot of people weren't too interested in talking. But then one couple opened up and they were like a key to the whole building. After that, I was able to interview other families and shoot material inside their flats with Elliot Caplan, a video artist from New York. These videos flowed into the performances as documentary moments, while I used the interviews to choreograph a portrait of a fictitious family. We toured the world with *Allee der Kosmonauten*. It was really fascinating to see different ways it connected with the most diverse cultures, whether it had to do with living in similar housing estates or the universal theme of family.

After *Allee der Kosmonauten* came the pieces *Zweiland* (Twin Lands) and *Na Zemlje* (On Earth). After that, I was over this kind of epic narrative approach. I had recently become a mother and it was a moment of starting completely anew.

In 1999, before leaving the Sophiensæle for the Schaubühne, we did two *Dialogue* projects: one at the Sophiensæle and one at the Jewish Museum. I'd always incorporated the format of the *Dialogues* into my work whenever it had to do with encountering different art forms or artists. Even during the research phase, when I want a more open form, I employ the title. The focal points can vary; sometimes they may have to do with music, sometimes architecture, sometimes dance, but this interdisciplinary nature, this confrontation and interaction with other art forms,

Das Format der *Dialoge* habe ich immer dann in meine Arbeit eingefügt, wenn es um neue Begegnungen mit anderen Kunstformen oder Künstlern ging. Auch in Recherchephasen, in denen ich eine offenere Form will, wähle ich den Titel. Die Schwerpunkte können variieren, manchmal liegen sie auf Musik, manchmal auf Architektur, manchmal auf Tanz, aber dieses Interdisziplinäre, die Auseinandersetzung mit anderen Kunstformen, das bleibt bestehen. Die *Dialoge* sind für mich ein kreativer Urmoment, in dem alles noch offen und möglich ist, und haben viel zu tun mit dem Risiko der Grenzüberschreitung, des Nichtwissens und der Öffnung für Unbekanntes.

Das Projekt *Dialoge* im Jüdischen Museum fand noch vor der offiziellen Eröffnung statt.

Der Architekt Daniel Libeskind hat den Grundriss des Gebäudes aus zwei Linien entwickelt, einer Zickzacklinie und einer Geraden. An den Kreuzungspunkten entstanden keilförmige Leerstellen, die sogenannten »Voids«, als architektonisches Mahnmal für all die Menschen, die Kultur, die dem Holocaust zum Opfer gefallen sind. Ich fand dies eine so unglaublich prägnante und starke Form, dass ich der Architektur gefolgt bin. Ich wollte eine nichtnarrative Choreografie. Man hätte ja auch eine Biografie nehmen können und die nacherzählen, doch ich wollte dem, was passiert ist im Verhältnis der Deutschen und Juden, eine abstraktere Gestalt geben. Die Architektur hat mich in dieser sehr schwierigen Auseinandersetzung zu einer anderen Sprache gebracht, und so wurde dies auch zu einem prägenden Moment in meiner künstlerischen Biografie.

Aus den beiden *Dialogen* in den Sophiensælen und im Jüdischen Museum ist dann *Körper*, die Eröffnungsproduktion für die Schaubühne, hervorgegangen, und Bezüge zu beiden Orten finden sich im Stück wieder. Wir hatten uns entschieden, die Schaubühne ganz leerzuräumen, so dass der pure Kern des Gebäudes sichtbar wurde, der in seiner Betongewalt durchaus eine Verbindung zur Architektur des Jüdischen Museums hat.

Der Titel des Stückes hieß zunächst *Mensch* und wurde erst im Entstehungsprozess zu *Körper*. Ich wollte den Körper nackt betrachten, so distanziert und sachlich wie ein Arzt, aber auch klar. Und so war auch meine Herangehensweise an den Raum, dem ich mich nähere, indem ich mich ihm als Partner zuwende und mit ihm in einen Dialog trete.

Jeder Raum erzählt und hat unterschiedliche Energien und Spannungsfelder. Als Choreografin schaue ich auch, wo bestimmte Blickachsen zusammengeführt werden. Ich analysiere den Raum, aber ich spüre ihn auch, das geht zusammen, verläuft parallel. Bestimmte Räume faszinieren mich und fordern mich dadurch heraus, mich mit ihnen auseinanderzusetzen. Das kann auf ganz unterschiedliche Weise stattfinden, es gibt in dem Sinne keine Methode. Es ist wie eine Vermessung des Raums über den Körper. Das ist ein sehr spannender Prozess, sozusagen dem Raum zuhören.

that remains unchanged. The *Dialogues* for me are a kind of creative »ur-moment« in which everything is still open, everything still possible, and they have a lot to do with the risk of going too far, the state of not knowing, and being open to the unknown.

The *Dialogue* project at the Jewish Museum took place before the official opening. The architect Daniel Libeskind had designed the floor plan of the building to unfold along two lines, one zigzagging and one straight. Their points of intersection created wedge-shaped empty spaces, so-called »voids«, which function as architectural memorials to all the people, all the culture that fell victim to the Holocaust. I found this to be such an incredibly concise and powerful design that I decided to follow the architecture very strictly. I wanted a non-narrative choreography. Naturally, I could've also taken a biography and told its story, but I wanted to give an abstract form to what had happened between the Germans and the Jews. My engagement with the architecture brought me to a completely different language, and this in turn became a decisive moment in my own artistic biography.

Out of these two *Dialogues* in the Sophiensæle and the Jewish Museum came *Körper* (Bodies), the opening production for the Schaubühne when it reopened in 2000, and references to both those places can be found in the piece. We decided to empty the Schaubühne completely, so that the pure heart of the building would become visible, that heart which, in its brutal power, establishes an absolute connection to the architecture of the Jewish Museum.

At first the piece was titled *Mensch* (Man); it came to be known as *Körper* only throughout the course of its development. I wanted to observe the naked body with a doctor's distance and impersonality, but their clarity, too. That's also the way I interacted with the space, and I grew closer to it the more I turned to it as a partner and was able to enter into a dialogue with it. Every space has a story to tell, as well as different energies and fields of tension. As a choreographer, I also see where certain visual axes are brought together. I analyse the space, but I feel it too; they go together, proceeding apace. Certain spaces fascinate me and challenge me to deal with them, to interact with them. It can happen in so many different ways; in that sense, there's no one method. It's like measuring the space through the body. And listening to the space, as it were, is a real exciting process.

The *Dialogue* we did at the Palast der Republik (Palace of the Republic, the former seat of the GDR Parliament) in the autumn of 2004 came at a time when we'd already left the Schaubühne. It was a rather improvised project and therefore more of a confrontation with the architecture and history of the building. The palace was already half-demolished, the outer layers were already gone, only the structural elements and the concrete were left. It was cold, the building could no longer be heated. We covered the whole thing with

Die *Dialoge* im Palast der Republik, die wir im Herbst 2004 aufgeführt haben, fallen in eine Zeit, in der wir die Schaubühne schon verlassen hatten. Es war ein sehr improvisiertes Projekt und deshalb eher eine Auseinandersetzung mit der Architektur als mit der Geschichte des Hauses. Der Palast war schon halb abgetragen, die äußeren Schichten waren weg, nur noch die Struktur und der Beton waren übrig. Es war kalt, das Gebäude war nicht mehr beheizbar. Wir haben den ganzen Palast mit Rasen ausgelegt und ihn auf den unterschiedlichen Ebenen bespielt. Es war zum ersten Mal ein Parcours, in dem das Publikum sich weitgehend frei bewegen konnte. Es gab eine zentrale Choreografie, ein Pas de deux in diesem gigantischen Saal. Die Vergänglichkeit des Menschen wie auch des Gebäudes war zu spüren, das war unglaublich stark.

Einen anderen Tenor hatte das *Dialoge*-Projekt zur Eröffnung des Neuen Museums. Bei der ersten Begehung war ich unglaublich bewegt von diesem Raum mit seinen aus dem Zweiten Weltkrieg stammenden Wunden. Er ist von David Chipperfield Architects so behutsam restauriert worden, dass die Geschichte des Gebäudes ablesbar und erlebbar bleibt. Wir haben im Haus geprobt, während die Restauratoren noch wie Chirurgen mit feinsten Instrumenten an ihm gearbeitet haben. Diese Parallelität war für beide Seiten eine spannende Erfahrung. Die Architekten und Restauratoren sagten uns später, sie hätten es so empfunden, als sei damit die Seele in den Raum zurückgekehrt. Ich habe damals den Begriff der Einweihung auf neue Art erfasst – dass es ein Ritual ist, dass wir diesen Raum beseelen und öffnen für die Menschen und eine spirituelle Begegnung mit der Kunst. Das war eine wunderbare Erfahrung, ein innerer Dialog mit der Zukunft, aber gleichzeitig auch mit der Geschichte.

Ich finde es unheimlich wichtig, dass wir unsere Geschichte anerkennen und pflegen. Es schmerzt mich, dass alles, was in irgendeiner Weise an die DDR erinnert, zugedeckt, verändert oder abgerissen wird. Das sind für mich Erinnerungen, die wichtig sind, um unsere Geschichte zu verarbeiten. Der Abriss des Palasts der Republik und der Wiederaufbau des Schlosses sind für mich große Fehler; ein Negieren der Vergangenheit. Ich glaube, wir sollten weder die Vergangenheit von uns weisen noch nur auf Neues setzen.

Im Radialsystem V, das Jochen Sandig und Folkert Uhde 2006 eröffnet haben und in dem sich heute auch unser Studio befindet, finde ich das sehr gelungen. Das Radialsystem V ist kein nostalgischer Ort, sondern einer, der mit dem Backsteingebäude das Alte bewahrt, ihm aber mit einem modernen Glasanbau gleichzeitig etwas Zeitgenössisches entgegensetzt. Ich finde, das wäre auch für die Stadt ein schönes Bild: Wir bauen auf etwas auf und machen sichtbar, wo wir herkommen, wo wir sind und wo wir hinwollen.

turf and filmed it from various levels. At first it was like a kind of set the audience could by and large move through freely. There was a central choreography, a pas de deux in that gigantic hall. The transient nature of people, as well as that of the building, was tangible; it was unbelievably powerful.

The *Dialogue* project we presented at the opening of the Neues Museum was of a completely different tenor. During my first inspection of the premises, I was incredibly moved by the wounds left over from World War II. It has been restored so carefully by David Chipperfield Architects that the history of the building remains legible; you can really experience it. And we were able to conduct our rehearsals there while the restorers were still working on it with their extremely delicate instruments like surgeons. This simultaneity was an exciting experience for both sides. The architects and restorers later told us that they had all felt as if it had brought back the soul of the building. And that was when I began to understand the idea of inauguration differently – that it's a ritual, that we were literally animating the space, opening it up to people, to a spiritual encounter with art. That was an amazing experience, an interior dialogue with the future, but at the same time with history.

I feel that it's extremely important for us to acknowledge and care for our history. It pains me to think that everything that had anything at all to do with the GDR has been covered up, changed, or torn down. For me, these are memories, and memories are important for us in terms of being able to process our history. In my opinion, demolishing the Palast der Republik and rebuilding the former city palace in its place are huge mistakes; they are negations of the past. We should neither reject the past nor only look towards the future.

I find the situation at Radialsystem V, which Jochen Sandig and Folkert Ihde opened in 2006 and which still houses our studio, to be rather successful in that respect. Radialsystem V is by no means a nostalgic place, but one that keeps the past safe within its bricks while at the same time confronting it with something contemporary through its modern glass structure. I also think that this would be a beautiful image for the city: We are building something on top of something else and revealing where we come from, where we are, and where we want to go.

Le sacre du printemps, 2013

HR Mark, Stargarder Straße, Ecke / **at the corner of** Greifenhagener Straße, 1991

BIOGRAFIEN
BIOGRAPHIES

FOTOGRAFEN
PHOTOGRAPHERS

BEN DE BIEL

wurde 1963 in Dillenburg geboren. Er war 1989 Praktikant bei Rudi Meisel, Agentur Visum in Hamburg, bevor er 1990 nach Berlin zog. Er war Mitbegründer der Diskothek Ständige Vertretung im Tacheles, Mitglied der Experimental-Electro-Band Elektronauten und IM Eimer-Kollektivist. 1998 gründete er den Club Maria am Ostbahnhof. Er lebt und arbeitet als freier Fotograf in Berlin.

was born in Dillenburg in 1963. He did an internship with Rudi Meisel at the Visum agency in Hamburg in 1989 before moving to Berlin in 1990. He was a co-founder of the Ständige Vertretung nightclub in Tacheles, a member of the experimental electro band Elektronauten and part of the IM Eimer collective. In 1998 he founded the club Maria am Ostbahnhof. He lives and works as an independent photographer in Berlin.

HARALD HAUSWALD

wurde 1954 in Radebeul geboren und kam nach der Ausbildung zum Fotografen 1977 nach Berlin. Dort konnte er sich mit der Hilfe von Freunden und Unterstützern dem Druck entziehen, sich in das gesellschaftliche Leben eingliedern zu müssen, und fotografierte den DDR-Alltag während ausgedehnter Touren durch die Stadt. Ab 1981 war er als festangestellter Fotograf für die evangelische Stephanus-Stiftung tätig. Seine Aufnahmen entstanden frei und ohne Auftrag und wurden mit der Hilfe von Oppositionellen und Korrespondenten ab Mitte der 1980er Jahre in westlichen Medien veröffentlicht. Er ist Träger des Bundesverdienstkreuzes und wurde 2006 von der Bundeszentrale für politische Bildung mit dem einheitspreis – Bürgerpreis zur Deutschen Einheit ausgezeichnet.

was born in Radebeul in 1954 and, after finishing an apprenticeship in photography, came to Berlin in 1977. Thanks to the help of friends and supporters, he was able to avoid the pressure to have to fit into society; instead, he concentrated on taking pictures of everyday GDR life during extensive excursions throughout the city. In 1981, he began to work as a full-time photographer for the evangelical Stephanus Foundation. All of his photographic work was done independently and on his own initiative; due to the efforts of members of the opposition and correspondents, it began appearing in the western media from the middle of the 1980s. Hauswald is a recipient of the Federal Cross of Merit and received the German Unity Award from the Federal Agency for Civic Education in 2006.

UTE MAHLER

wurde 1949 in Berka (Thüringen) geboren und schloss 1974 ihr Studium der Fotografie an der Hochschule für Grafik und Buchkunst in Leipzig ab. Als freiberufliche Fotografin machte sie Portraits für verschiedene Zeitschriften und Modeaufnahmen für die Zeitschrift Sibylle. Sie war 1990 Gründungsmitglied der Agentur Ostkreuz, ist seit 2000 Professorin an der Hochschule für Angewandte Wissenschaften in Hamburg und seit 2005 Dozentin an der Ostkreuzschule für Fotografie in Berlin. Ute Mahler lebt in Hamburg und Lehnitz bei Berlin. Ihre Arbeiten sind in diversen Sammlungen vertreten, u. a. in der Berlinischen Galerie, in der Sammlung F. C. Gundlach und im Deutschen Historischen Museum Berlin. 2014 zeigten die Deichtorhallen Hamburg eine umfangreiche Werkschau der Arbeiten von Ute und Werner Mahler.

was born in Berka (Thuringia) in 1949 and completed her photographic studies at the Academy of Fine Arts Leipzig in 1974. She has worked as a freelance portrait photographer for numerous magazines and as a fashion photographer for the magazine Sibylle. She was one of the founding members of the Ostkreuz Agency in 1990, and has been a professor at the Hamburg University of Applied Sciences since 2000 and an instructor at the Ostkreuz School of Photography in Berlin since 2005. Ute Mahler lives in Hamburg and Lehnitz near Berlin. Her work can be found in many collections, including that of the Berlinische Galerie, the F. C. Gundlach Collection, and the German Historical Museum of Berlin. In 2014, the Deichtorhallen Hamburg held an extensive exhibition of works by Ute and Werner Mahler.

HENDRIK RAUCH

wurde 1967 in Münster geboren und wuchs ebendort und in Zürich auf. Er kam 1990 nach Berlin, wo er 1992 seine Ausbildung zum Fotografen beim Lette-Verein abschloss. Nach mehreren Jahren als Fotograf, unter anderem für die Stadtteilzeitung scheinschlag, und einem Ausflug ins Ausstellungswesen beim zff – Zentrum für Fotografie, das er mitbetrieb und für das er einige Ausstellungen kuratierte, wurde er 1999 Bildredakteur – zunächst bei der Berliner Zeitung, später beim Handelsblatt, dessen Fotoredaktion er bis Juni 2011 leitete. Seit 2011 arbeitet er wieder als freier Fotograf und Bildredakteur für diverse Magazine und Unternehmen.

was born in Münster in 1967 and grew up both there and in Zurich. He came to Berlin in 1990 and completed his photography training at the Lette-Verein in 1992. For several years he worked as a photographer for clients such as the urban newspaper scheinschlag. After an excursion into exhibition management at zff (Zentrum für Fotografie), which he co-ran and for which he curated several shows, he became a picture editor in 1999 – first for the Berliner Zeitung and then for the Handelsblatt, where he directed photo editing until June 2011. He has been working again as a freelance photographer and photo editor for various magazines and businesses since 2011.

PHILIPP VON RECKLINGHAUSEN

wurde 1968 in Kempen am Niederrhein geboren. Er kam durch die Flucht vor dem Militärdienst 1989 nach Westberlin und absolvierte bis 1991 eine Fotografenlehre beim Lette-Verein. In den Jahren 1991/92 fotografierte er für die Stadtteilzeitung *scheinschlag,* 1993 war er als einziger Fotograf in der umkämpften bosnischen Enklave Srebrenica und wurde dort zweimal verwundet. Er erhielt für die dort entstandenen Aufnahmen 1994 den Prix Bayeux-Calvados des correspondants de guerre und den Preis für jungen Bildjournalismus (AGFA/Bilderberg). Von 1993 bis 1995 war er Mitglied bei der Agentur Ostkreuz und wurde dann Mitbegründer der lux fotografen. Er hat eine Tochter und lebt und arbeitet als freier Fotograf in Berlin.

was born in Kempen on the Lower Rhine in 1968. He came to West Berlin in 1989 in order to evade military service, and completed his photography training at the Lette-Verein in 1991. In the years 1991/92 he photographed for the urban newspaper *scheinschlag*. In 1993 he was the only photographer in the war-torn Bosnian enclave of Srebrenica and was wounded twice. The images he captured there won him the Prix Bayeux-Calvados des correspondants de guerre and the Preis für jungen Bildjournalismus (AGFA / Bilderberg) in 1994. From 1993 to 1995 he was a member of the agency Ostkreuz. He went on to co-found lux fotografen. He has a daughter and lives and works as a freelance photographer in Berlin.

SVEN MARQUARDT
siehe Gespräche see Conversations

MARKUS WERNER

wurde 1970 in Dessau geboren und zog 1979 nach Berlin, wo er an der Schönhauser Allee aufwuchs. Im Jahre 1989 erwarb er seine erste Kamera, von 1993 bis 1995 war er Assistent und Schüler von Ute und Werner Mahler in der Agentur Ostkreuz. Von 1996 bis 2000 leitete er die Fotowerkstatt im Künstlerhaus 188 in Halle. Seit 2000 arbeitet er als freier

Fotograf in Berlin, in den Jahren 2001 bis 2003 hielt er sich mehrere Monate in Island auf, wo er gemeinsam mit Judith Hermann ein Foto- und Textbuch für den Fischer Verlag produzierte. Ab 2006 lebte er sechs Jahre lang in Norwegen, seit 2012 arbeitet er wieder als freier Fotograf in Deutschland und lebt in einem Dorf bei Halle. 2016 erschien sein Fotoband *Zeit der großen Freiheit* (Hasenverlag).

was born in Dessau in 1970 and moved to Berlin in 1979, growing up on Schönhauser Allee. He got his first camera in 1989, and from 1993 to 1995 was an assistant and student of Ute and Werner Mahler's at the Ostkreuz Agency. Between 1996 and 2000 he ran the photographic workshop at Künstlerhaus 188 in Halle. Since 2000 he has worked as a freelance photographer in Berlin. In the period between 2001 and 2003, he spent a number of months in Iceland and, together with Judith Hermann, produced a collection of photographs of the experience for the Fischer Verlag publishing house. Between 2006 and 2012, he lived in Norway, and since late 2012 has once again been working as a freelance photographer in Germany. He lives in a village near Halle. His photo book *Zeit der großen Freiheit* (Hasenverlag) appeared in 2016.

ROLF ZÖLLNER

wurde 1953 in Chemnitz geboren. Nach einer Lehre zum Elektrofacharbeiter arbeitete er als Elektromonteur auf Großbaustellen der DDR und von 1978 bis 1987 in einem Institut in Marzahn. Seit 1984 nahm er am Fotozirkel des Kreiskulturhauses Prater im Prenzlauer Berg teil und war von 1988 bis in die Wendezeit als freier Filmfotograf für das Fernsehen der DDR tätig. Seit der Wende arbeitet er als freier Fotograf für zahlreiche Zeitungen und Zeitschriften und hat seine Arbeiten in verschiedenen Büchern veröffentlicht.

was born in Chemnitz in 1953. After an apprenticeship, he initially worked as an electrician on GDR construction sites, then, from 1978 to 1987, at an institute in

Marzahn. From 1984 he was involved in the Kreiskulturhaus Prater photography group in Prenzlauer Berg. Between 1988 and the early reunification period, he worked as a freelance photographer for GDR national television. Since then he has worked as an independent photographer for numerous magazines and newspapers. His work has been published in various books.

GESPRÄCHE
CONVERSATIONS

Alle Gesprächstexte entstanden aus mit den Herausgebern geführten Interviews.
All texts are based on the subjects' interviews with the editors.

KLAUS BIESENBACH

wurde 1967 in Kürten geboren und studierte zunächst Medizin in München. Nach dem Fall der Mauer ging er nach Berlin und gründete dort 1990 die Kunst-Werke (KW) und 1996 die Berlin Biennale. Ab 1996 wurde er zudem Kurator am MoMA PS1 in New York und 2004 Chefkurator der Abteilung für Medienkunst des MoMA. Seit 2010 ist er Direktor des MoMA PS1 und ein Leitender Kurator am MoMA. Er hat eine Vielzahl an internationalen Solo- und Gruppenausstellungen kuratiert. 2016 wurde er mit dem Bundesverdienstkreuz am Bande ausgezeichnet.

was born in Kürten in 1967 and studied medicine in Munich. After the fall of the Wall he went to Berlin. In 1990 he founded the Kunst-Werke (KW) and in 1996 the Berlin Biennale. He became curator of MoMA PS1 in New York that same year and was named founding Chief Curator of MoMA's Department of Media in 2004. Since 2010, he has been the director of MoMA PS1 and Chief Curator at Large at MoMA. He has curated numerous international solo and group exhibitions. In 2016 he received the Federal Cross of Merit.

wurde 1951 in Ostberlin geboren, studierte Theaterwissenschaften an der Humboldt-Universität in Berlin und ging zunächst als Dramaturg nach Senftenberg. In den folgenden Jahren inszenierte er in der DDR, ab 1989 auch in der BRD. Mit Beginn der Spielzeit 1992/93 wurde Frank Castorf Intendant der Volksbühne am Rosa-Luxemburg-Platz. Er schuf dort sowie als Gastregisseur an Theatern und Opern in ganz Deutschland, Europa und international über 100 Inszenierungen, die regelmäßig zu Gastspielen an Theatern und zu Festivals in der ganzen Welt eingeladen werden. Seine Arbeit als Intendant und Regisseur wurde vielfach ausgezeichnet. Mehrere seiner Inszenierungen wurden zum Berliner Theatertreffen eingeladen.

was born in East Berlin in 1951, studied theatre at Humboldt University, and then went to Senftenberg to work as a dramaturg. Thereafter, he directed plays throughout the GDR, and, beginning in 1989, in the BRD as well. With the start of the 1992/93 season, Castorf became Artistic Director of the Volksbühne at Rosa-Luxemburg-Platz. He has been responsible for over 100 productions both there and as a guest director in theatres and opera houses throughout Germany, Europe, and the world. In addition, many of his productions have been performed at the Berlin Theatertreffen festival. He has received numerous awards for his work both as an artistic director and a director.

wurde 1966 in Ostberlin geboren. Er ging dort zehn Jahre lang zur Schule und erlernte den Beruf des Werkzeugmachers. Er spielte bei Feeling B und vielen anderen Bands, die ihn nicht aus dem Proberaum warfen. Schließlich landete er bei Rammstein und lebt immer noch in Berlin. 2015 erschien seine Autobiografie *Der Tastenficker: An was ich mich so erinnern kann* (Schwarzkopf & Schwarzkopf).

was born in East Berlin in 1966. After going to school for ten years, he studied to become a toolmaker. He was a member of whatever bands didn't toss him out, including Feeling B, and eventually ended up with Rammstein. He still lives in Berlin. His autobiography, *Der Tastenficker: An was ich mich so erinnern kann* (Schwarzkopf & Schwarzkopf), was published in 2015.

Kulturmanager und Visionär, wurde 1954 in einem Dorf in Westfalen geboren und zog 1978 nach Berlin. Er wurde Mitbetreiber des Fischbüro, organisierte das Festival Berlin Atonal und war 1991 Mitbegründer des Clubs Tresor an der Leipziger Straße, der 2007 nach einer zweijährigen Pause im ehemaligen Heizkraftwerk Berlin-Mitte an der Köpenicker Straße wiedereröffnet wurde. 2012 gründete Hegemann die Beratungsagentur Happy Locals, die in kleineren Städten einfache Kulturangebote speziell für junge Leute anbietet, um so der Bevölkerungsabwanderung entgegenzuwirken. Mit seiner Detroit-Berlin-Connection möchte er zur Wiedergeburt der ruinösen Stadt Detoit beitragen und ihr so etwas zurückgeben als Dank für die innovative Musik, die sie zur Zeit des Mauerfalls nach Berlin gebracht hat.

cultural manager and visionary, was born in 1954 in a village in Westphalia and moved to Berlin in 1978. He helped create the Fischbüro, organised the Berlin Atonal Festival, and in 1991 was one of the founders of the legendary Tresor club on Leipziger Straße, which later reopened in the Kraftwerk Berlin on Köpenicker Straße in 2007. In 2012, Hegemann founded the Happy Locals consulting agency, which offers simple cultural programs for young people in smaller towns and cities in order to counter depopulation. His Detroit-Berlin-Connection aims to contribute to the rebirth of that city and give something back in thanks for the innovative music it brought to Berlin at the time of the fall of the Wall.

wurde 1970 Berlin-Neukölln geboren. Die Studiengänge Germanistik, Philosophie und Musik brach sie ab und machte eine Ausbildung an der Berliner Journalistenschule, bevor sie für ein Volontariat nach New York ging. 1998 erschien ihr Debüt *Sommerhaus später*, 2003 folgte der Erzählungsband *Nichts als Gespenster*. Einzelne dieser Geschichten wurden 2007 für das Kino verfilmt. Zuletzt veröffentlichte sie den Roman *Aller Liebe Anfang* und den Erzählungsband *Lettipark*. Für ihr Werk wurde Judith Hermann mit zahlreichen Preisen ausgezeichnet, darunter dem Kleist-Preis und dem Friedrich-Hölderlin-Preis. Die Autorin lebt und schreibt in Berlin.

was born in Berlin-Neukölln in 1970. After discontinuing a degree in German Studies, Philosophy, and Music, she attended the Berlin Journalism School and, as part of her traineeship, spent time in New York. Her first collection of stories, *Summerhouse, Later,* was published in 1998 and was followed by another, *Nothing but Ghosts,* in 2003. A number of these stories were made into a film in 2007. Her most recent work includes the novel *Aller Liebe Anfang* and the story collection *Lettipark*. Judith Hermann has received numerous prizes for her work, including the Kleist Prize and the Friedrich Hölderlin Prize. She lives and writes in Berlin.

wurde 1966 in Berlin geboren. Er erhielt eine Ausbildung am Theater und ist seit seiner Jugend in verschiedenen Formationen als Musiker und als bildender Künstler tätig. 1983 gründete er mit seinem Bruder Ronald Ornament und Verbrechen, seit den 90er Jahren spielen sie gemeinsam mit Stefan Schneider als To Rococo Rot und veröffentlichten auf verschiedenen Labels wie Kitty-Yo, City Slang oder Staubgold. Darüber hinaus produzierten To Rococo Rot Soundarbeiten für andere Künstler wie Olaf Nicolai, Doug Aitken oder Takehito Koganezawa.

Seit 2001 veröffentlicht Robert Lippok auf raster-noton seine Soloprojekte. Als bildender Künstler schafft er immer wieder Arbeiten, die sich konkret mit architektonischen Räumen auseinandersetzen.

was born in Berlin in 1966. He trained in the theatre, and has been active as a musician and visual artist in various forms since his youth. In 1983 he founded the band Ornament and Verbrechen with his brother Ronald, and since the '90s the two of them have played with Stefan Schneider as To Rococo Rot, putting out albums on labels like Kitty-Yo, City Slang, and Staubgold. To Rococo Rot also did sound work for artists like Olaf Nicolai, Doug Aitken, and Takehito Koganezawa. Since 2001 Robert Lippok has released his solo projects on raster-noton. As a visual artist he continuously creates works that deal with the challenges inherent in specific architectural spaces.

SVEN MARQUARDT

wurde 1962 in Ostberlin geboren und war ab Mitte der 1980er Jahre prägender Teil der aufkeimenden Punk-, New-Wave- und Kunstszene Prenzlauer Bergs. Mit dem Mauerfall ließ er seine Arbeit als Fotograf ruhen und tauchte in die sich neu formierende Clubszene Berlins ein, ab Ende der 90er prägte ihn das Thema »Nacht« durch seine Tätigkeit als Türsteher des Clubs Ostgut. Seit 2004 steht Marquardt an der Berghaintür, maßgeblich beteiligt ist er seit 2007 am Erscheinungsbild des Labels Ostgut Ton. 2010 erschien sein erster Bildband, Zukünftig Vergangen, gefolgt von Heiland und Wild Verschlossen (alle Mitteldeutscher Verlag), 2014 die Autobiografie Die Nacht ist Leben (Ullstein). Seine Fotos wurden in zahlreichen Einzel- und Gruppenausstellungen in der ganzen Welt gezeigt.

was born in East Berlin in 1962 and, from the middle of the 1980s onward, played an important role in the budding punk, New Wave, and art scene of Prenzlauer Berg. With the fall of the Wall, he took a break from his job as a photographer and dived into Berlin's newly forming club scene. The idea of »night« – beginning in the late '90s through his work as a doorman at the Ostgut club – shaped him profoundly. Since 2004 Marquardt has been the doorman at Berghain, and since 2007 he has been extremely influential in the visual appearance of the label Ostgut Ton. His first photo book, Zukünftig Vergangen, was published in 2010 and was followed by Heiland and Wild Verschlossen (all with the Mitteldeutscher Verlag publishing house). Die Nacht ist Leben (Ullstein), his autobiography, appeared in 2014. His photos have been shown in numerous solo and group exhibitions throughout the world.

OL

(Olaf Schwarzbach) kam 1965 in Ostberlin zur Welt. Nach einer Lehre als Offsetdrucker arbeitete er bis zu seiner Flucht in den Westen als Kupferdrucker in der Werkstatt des Staatlichen Kunsthandels der DDR. Er zeichnet regelmäßig für die Berliner Zeitung und das Berliner Stadtmagazin tip und veröffentlichte u. a. in Kowalski, zitty, Jungle World, n-tv.de, Börsenblatt, Die Zeit, Der Tagesspiegel. 2003 und 2013 wurde er mit dem Deutschen Karikaturenpreis ausgezeichnet. Bücher von OL u. a.: Die Mütter vom Kollwitzplatz, Cosmoprolet – Ein Mann räumt auf!, Hab ick'n Tinnitus uff'n Augen? Ick seh nur Pfeifen (alle Lappan) sowie Forelle Grau – Die Geschichte von OL (Berlin Verlag). OL ist Vater von zwei Töchtern und lebt als freiberuflicher Cartoonist in Berlin.

(Olaf Schwarzbach) came into the world in East Berlin in 1965. After an apprenticeship as an offset printer, he worked as a copperplate engraver in the GDR's state art trade until escaping to the west. He draws a regular comic strip for the Berliner Zeitung and the Berlin city paper tip, and has published work in newspapers and magazines like Kowalski, zitty, Jungle World, n-tv.de, Börsenblatt, Die Zeit, and Der Tagesspiegel. In 2003 and again in 2013 he was awarded the German Caricature Prize. His books include Die Mütter vom Kollwitzplatz, Cosmoprolet – Ein Mann räumt auf!, and Hab ick'n Tinnitus uff'n Augen? Ick seh nur Pfeifen (all with the Lappan publishing house), as well as Forelle Grau – Die Geschichte von OL (Berlin Verlag). OL is the father of two daughters and lives as a freelance cartoonist in Berlin.

CHRISTIANE RÖSINGER

wurde in den 60er Jahren im badischen Hügelsheim geboren. Sie war Mitgründerin, Sängerin und Texterin der Berliner Bands Lassie Singers und Britta. In den 90er Jahren war sie eine der Betreiberinnen der legendären Flittchenbar am Berliner Ostbahnhof, die sie 2010 zu neuem Leben erweckte. Seitdem führt sie einmal im Monat durch eine musikalische Gala-Show im Kreuzberger Club Südblock. Neben ihrer Arbeit als Musikerin (Songs Of L. And Hate, Lieder ohne Leiden) schreibt sie für verschiedene Zeitungen und Magazine. 2008 veröffentlichte sie ihr erstes Buch, Das schöne Leben, es folgten Liebe wird oft überbewertet, Berlin-Baku und ihr neuestes Buch, Zukunft machen wir später.

was born in the town of Hügelsheim, Baden-Württemberg, in the 1960s. She was a founding member, singer, and lyricist of the Berlin bands Lassie Singers and Britta. In the '90s, she helped run the legendary Flittchenbar at Ostbahnhof, which she brought back to life in 2010 and has since held once a month as kind of musical gala show at the Südblock club in Kreuzberg. In addition to her work as a musician (Songs Of L. And Hate, Lieder ohne Leiden), she writes for various newspapers and magazines. In 2008, she published her first book, Das schöne Leben, which was followed by Liebe wird oft überbewertet, Berlin-Baku and her latest, Zukunft machen wir später.

SASHA WALTZ

studierte Tanz und Choreografie in
Amsterdam und New York. Gemeinsam
mit Jochen Sandig gründete sie 1993 die
Compagnie Sasha Waltz & Guests und
1996 die Sophiensaele. Von 2000 bis
2005 war sie Mitglied der Künstlerischen
Leitung der Schaubühne am Lehniner
Platz, Berlin. Seit 2005 ist sie mit ihrer
Compagnie erneut unabhängig. Die
Erschließung innovativer Aufführungs-
und Kreationsformen im choreographi-
schen Musiktheater hat sich zum bedeu-
tendsten Schwerpunkt ihrer Arbeit
entwickelt.

studied dance and choreography in
Amsterdam and New York. Together
with Jochen Sandig she founded the
dance company Sasha Waltz & Guests
in 1993 and the Sophiensaele in 1996.
From 2000 to 2005 she was a member
of the artistic direction of the Schaubühne at Lehniner Platz, Berlin. Since
2005 she and her company have once
again been unaffiliated. The development of innovative forms of performance and creation in choreographic
musical theatre has become of one
of the most important focal points of
her work.

HERAUSGEBER
PUBLISHER

ANKE FESEL

kam 1990 nach Berlin und war als Ver-
anstalterin im Tacheles, im Eimer und
im Schokoladen tätig. Ihre Arbeit als
Gestalterin begann sie bei der Stadt-
zeitung *scheinschlag*. 2000 gründete
sie mit einem Kollegen das Grafikbüro
gold und 2007 capa, das sie bis heute
leitet.

came to Berlin in 1990, and worked as
a promoter at Tacheles, Eimer, and the
Schokoladen. She first began working
as a designer with the city paper *scheinschlag*. Together with a colleague she
founded gold design studio in 2000
and capa, which she still runs, in 2007.

CHRIS KELLER

lebt seit 1990 als Musiker und Fotograf
in Berlin. Er ist Gründungsmitglied der
Elektronauten und hat im Tacheles, im
Eimer, im Synlabor und im Schokoladen
gelebt und gearbeitet. Heute produziert er Musik mit den Projekten Resident
Kafka und Elektronauten und veranstaltet die Konzertreihe für experimen-
telle Musik *Oddlab* im Club der polnischen Versager.

has been living as a musician and
photographer in Berlin since 1990. He
is a founding member of the band
Elektronauten, and lived and worked
in Tacheles, Eimer, Synlabor, and the
Schokoladen. He continues to produce
music with Resident Kafka as well as
Elektronauten, and organizes the *Oddlab* experimental music concert series
at the Club der polnischen Versager.

BOBSAIRPORT

2007 gründeten die Herausgeber die
Fotoagentur bobsairport. 2014 gaben
sie den Bildband *Berlin Wonderland –
Wild Years Revisited 1990–1996* heraus,
zu dem sie mehrere Ausstellungen in
Berlin und in Europa kuratierten.

The editors founded the photo agency
bobsairport in 2007. In 2014, they
published the photography book *Berlin
Wonderland – Wild Years Revisited
1990–1996,* which became the basis
for many exhibitions they then curated
in Berlin and throughout Europe.

ÜBERSETZER
TRANSLATOR

ALEXANDER BOOTH

ist Schriftsteller und literarischer Über-
setzer. Er lebt nach mehreren Jahren in
Rom zurzeit in Berlin.

is a writer and literary translator who,
after many years in Rome, currently
lives in Berlin.

DANKE
THANKS

Wir danken allen Fotografen und
Gesprächspartnern. Unser besonderer
Dank geht an Alexander Nedo, Thomas
Halupczok, Henner Merle, Johann
Hausstätter, Barbara Wagner, Christian
Morin, Ralph Brugger, Dr. Christian
Sachse, das ocelot-Team sowie an
unsere Freunde und Familien, besonders
an Ragni & Uwe und Liane & Helmut.
We would like to extend our gratitude
to all the photographers and our con-
versation partners. Special thanks to
Alexander Nedo, Thomas Halupczok,
Henner Merle, Johann Hausstätter,
Barbara Wagner, Christian Morin,
Ralph Brugger, Dr. Christian Sachse, the
ocelot-Team, as well as to our friends
and families, especially Ragni & Uwe
and Liane & Helmut.

FOTOS
PHOTOS

Ben de Biel
Titel, 28, 34↑, 35↑↓, 36, 116/117,
118/119, 120, 121, 122↑↓, 123, 124, 125,
126↑↓, 127↑↓, 128/129, 130↑↓,
131↑↓, 132/133, 134, 135, 136, 137,
172/173, 174↑↓, 175↑↓, 176, 177, 178,
179, 180↑↓, 181↑↓, 182/183, 184,
185, 186/187, 188/189

Harald Hauswald
146/147, 148/149, 150, 151, 152/153,
154↑↓, 155↑↓, 156/157, 158↑↓,
159↑↓, 160, 161, 162/163

Ute Mahler
198/199, 200, 201, 202, 203,
204/205, 206, 207, 208/209, 210,
211, 212, 213, 214/215

Hendrik Rauch
37, 80/81, 84, 90/91, 92, 93, 224/225,
240/241, 248/249

Philipp von Recklinghausen
30, 32/33, 34↓, 39, 46, 50/51, 52, 53,
54/55, 56, 57, 58/59, 60/61, 62, 63,
64↑↓, 65, 66, 67, 68/69, 78/79, 82↑↓,
83↓, 86, 87, 88, 89, 192, 228

Sven Marquardt
96, 99, 100, 102, 103, 104, 105,
106/107

Markus Werner
17, 20, 29, 109, 110, 230↑↓, 231↑

Rolf Zöllner
14/15, 24/25, 26/27, 31, 38, 40/41,
44, 45, 83↑, 85, 226/227, 229, 231↓,
232, 233, 234/235, 236/237, 238↑↓,
239↑↓

43 → Klaus Biesenbach
71 → Michael Biedowicz
72 → Chris Keller
74 → Wilfried Petzi
95 → York der Knoefel,
In der U-Bahn 1986, © courtesy
Loock Galerie Berlin/Nachlass
York der Knoefel/VG Bild Kunst,
Bonn 2017
139 → Marie Staggat
140 → G.V. Horst & Rick Kay, Tresor
165 → Michael Haase
168 → Roger Drescher
191 → Thomas Aurin
217 → Claudia Heynen
220 → Markus Werner,
konzertfotos.berlin
243 → Sebastian Bolesch
244, 247 → Bernd Uhlig

IMPRESSUM
IMPRINT

Interviews & Redaktion
Interviews & Editing
Anke Fesel & Chris Keller

Gestaltung Layout
Anke Fesel & Chris Keller
capa, www.capadesign.de
Schrift Typeface
Euclid Flex, Swiss Typefaces

Lektorat englische Texte
Editorial office
Florian Duijsens
Übersetzung Translation
Alexander Booth

Bildbearbeitung Image Editing
hausstætter, Berlin
Druck Printed by
optimal media GmbH,
Röbel/Müritz

Erste Auflage 2017
suhrkamp taschenbuch 4768
Originalausgabe
© Suhrkamp Verlag Berlin 2017
Suhrkamp Taschenbuch Verlag

Printed in Germany
ISBN 978-3-518-46768-8

www.berlin-heartbeats.de
www.bobsairport.de